cDv
DRESSLER

Cornelia Funke

GEISTER RITTER

Mit Illustrationen von
Friedrich Hechelmann

Cecilie Dressler Verlag · Hamburg

Originalausgabe
2. Auflage 2011

Einband- und Innenillustrationen: Friedrich Hechelmann
Satz: Dörlemann Satz, Lemförde
Druck und Bindung: Offizin Andersen Nexö Leipzig, Zwenkau
Printed 2011/II.
ISBN 978-3-7915-0479-7

www.cecilie-dressler.de

Für Ella Wigram,
die das Vorbild für die Heldin dieser Geschichte war.
Ich hätte keine bessere erfinden können.

Inhalt

1

Abgeschoben

Ich war elf, als meine Mutter mich aufs Internat nach Salisbury schickte. Ja, zugegeben, sie hatte Tränen in den Augen, als sie mich zum Bahnhof brachte. Aber in den Zug setzte sie mich trotzdem.

»Dein Vater hätte sich so darüber gefreut, dass du zu seiner alten Schule gehst!«, sagte sie, während sie sich ein Lächeln auf die Lippen zwang, und der Vollbart klopfte mir so aufmunternd auf die Schulter, dass ich ihn dafür fast auf die Gleise geschubst hätte.

Der Vollbart ... meine Schwestern waren ihm gleich auf den Schoß geklettert, als meine Mutter ihn zum ersten Mal mit nach Hause brachte, aber ich erklärte ihm den Krieg, sobald er seinen Arm um Mams Schulter legte. Mein Vater war gestorben, als ich vier war, und natürlich vermisste ich ihn, auch wenn ich mich kaum an ihn erinnerte. Aber das hieß nicht, dass ich einen neuen wollte, schon gar nicht einen unrasierten Zahnarzt. Ich war der Mann im

Haus gewesen, der Held meiner Schwestern, der Augapfel meiner Mutter. Aber plötzlich saß sie abends nicht mehr mit mir vor dem Fernseher, sondern ging mit dem Vollbart aus. Unser Hund, der jeden anderen vom Grundstück jagte, legte ihm Quietschespielzeuge vor die Füße, und meine Schwestern malten ihm riesige Herzen. »Aber er ist doch so nett, Jon!« Immer wieder musste ich mir das anhören. Nett. Was war nett an ihm? Er überzeugte meine Mutter, dass alles, was mir schmeckte, schlecht für mich war und dass ich zu viel fernsah.

Ich versuchte alles, um ihn loszuwerden. Ich ließ ein Dutzend Mal den Hausschlüssel verschwinden, den Mam ihm gegeben hatte, goss Cola auf seine Zahnarzt-Zeitschriften (ja, so was gibt's) und mischte ihm Juckpulver in das Mundwasser, das er ständig anpries. Alles umsonst. Mam setzte nicht ihn, sondern mich in den Zug. *Unterschätz niemals deine Feinde!*, würde Longspee mir später beibringen. Aber leider war ich ihm damals noch nicht begegnet.

Wahrscheinlich wurde meine Verbannung beschlossen, nachdem ich meine kleine Schwester überredet hatte, ihren Babybrei in seine Schuhe zu löffeln. Vielleicht war auch der Terroristen-Steckbrief schuld, in den ich sein Foto montierte. Was auch immer … ich hätte meine Videospiele darauf verwettet, dass der Vollbart die Idee mit dem Internat hatte – auch wenn meine Mutter es bis heute bestreitet.

Mam bot natürlich an, mich persönlich bei meiner neuen Schule abzuliefern und ein paar Tage in Salisbury zu bleiben – »bis du dich eingewöhnt hast« –, aber ich lehnte ab. Ich war sicher, dass sie nur ihr schlechtes Gewissen beruhigen wollte, weil sie vorhatte, mit dem Vollbart nach Spanien zu fliegen, während ich mich mutterseelenallein mit wildfremden Lehrern, schlechtem Internatsessen und neuen Mitschülern herumschlug, von denen die meisten bestimmt stärker und wesentlich klüger als ich sein würden. Ich hatte noch nie mehr als ein Wochenende ohne meine Familie verbracht. Ich schlief nicht gern in anderen Betten, und ich wollte ganz bestimmt nicht in einer Stadt zur Schule gehen, die mehr als tausend Jahre alt und auch noch stolz darauf war. Meine achtjährige Schwester hätte zu gern mit mir getauscht. Seit sie Harry Potter las, wollte sie unbedingt auf ein Internat. Aber ich träumte von Kindern in abscheulichen Schuluniformen, die in finsteren Sälen vor Schüsseln mit wässrigem Porridge saßen und von Lehrern mit meterlangen Stöcken bewacht wurden.

Auf dem Weg zum Bahnhof sprach ich kein einziges Wort. Ich gab meiner Mutter nicht mal einen Abschiedskuss, als sie mir den Koffer in den Zug hob, aus Angst, ich könnte mich vor dem Vollbart in ein kindisch schluchzendes Etwas verwandeln. Die Zugfahrt verbrachte ich damit, Erpresserbriefe aus Zeitungsschnipseln zusammenzukleben, die dem Vollbart einen abscheulichen Tod androhten, falls er meine Mutter nicht in Ruhe ließ. Der alte Mann, der neben mir saß, musterte mich mit zunehmend alarmiertem Gesichtsausdruck, aber schließlich warf ich die Briefe ins Zugklo, weil ich mir sagte, dass Mam sich bestimmt zusammenreimen würde, von wem sie stammten und mir den Vollbart daraufhin nur noch mehr vorziehen würde.

Ich weiß. Ich war in einem bedauernswerten Zustand. Die Fahrt dauerte eine Stunde und neun Minuten. Inzwischen ist das mehr

als acht Jahre her und ich erinnere mich trotzdem noch genau. Clapham Junction, Basingstoke, Andover – alle Bahnhöfe sahen gleich aus, und mit jeder Meile kam ich mir verstoßener vor. Nach einer halben Stunde hatte ich alle Schokoriegel gegessen, die Mam mir eingepackt hatte (neun, soweit ich mich erinnere, sie hatte ein ziemlich schlechtes Gewissen), und jedes Mal, wenn ich aus dem Zugfenster blickte und alles vor meinen Augen verschwamm, redete ich mir ein, dass der Grund nicht Tränen, sondern die Regentropfen waren, die die Scheibe hinunterliefen.

Ich sag's ja. Bedauernswert.

Als ich in Salisbury meinen Koffer aus dem Zug zerrte, fühlte ich mich zugleich abscheulich jung und hundert Jahre älter als bei meiner Abfahrt. Verbannt. Verstoßen. Mutter-, hund- und schwesternlos. Verflucht sollte der Vollbart sein. Als ich mir den Koffer auf den Fuß setzte, schickte ich ein Stoßgebet zur Hölle, dass es in Spanien irgendeine ansteckende Krankheit gab, die Zahnärzte tötete.

Die Wut fühlte sich viel besser an als das Selbstmitleid. Außerdem war sie eine nützliche Rüstung gegen all die fremden Blicke.

»Jon Whitcroft?«

Der Mann, der mir den Koffer aus der Hand nahm und meine schokoladenverschmierten Finger schüttelte, hatte im Gegensatz zum Vollbart nicht die geringste Spur von Bartwuchs. Edward Popplewells rundes Gesicht war so haarlos wie das meine (zu seinem großen Kummer, wie ich bald herausfinden würde). Seiner Frau dagegen sprießte ein dunkles Bärtchen über der Oberlippe. Alma Popplewell hatte auch eine tiefere Stimme als ihr Mann.

»Herzlich willkommen in Salisbury, Jon!«, sagte sie, während sie mir leicht schaudernd ein Taschentuch in die klebrigen Finger drückte. »Du kannst mich Alma nennen und das ist Edward. Wir sind die Hauseltern. Deine Mutter hat dir sicher gesagt, dass wir dich hier erwarten, oder?«

Sie roch so stark nach Lavendelseife, dass mir schlecht wurde, aber vielleicht lag das auch an den Schokoladenriegeln. Hauseltern … auch das noch. Ich wollte mein altes Leben zurück: meinen Hund, meine Mutter, meine Schwestern (wobei ich auf die auch manchmal hätte verzichten können) und meine Freunde an der alten Schule … keinen Vollbart, keinen bartlosen Hausvater und keine lavendelseifige Hausmutter.

Natürlich waren die Popplewells heimwehkranke Ankömmlinge gewohnt. Edward Bartlos pflanzte seine Hand fest auf meine Schulter, sobald wir den Bahnhof verließen, als wollte er jeden Gedanken an einen Fluchtversuch im Keim ersticken. Die Popplewells hielten nichts vom Autofahren (böse Gerüchte behaupteten, dass der Grund Edwards allzu große Liebe zum Whiskey war und der feste Glaube, dass ihm durch den regelmäßigen Genuss eines Tages doch noch ein paar Bartstoppeln sprießen würden). Was auch immer – wir gingen zu Fuß, und Edward begann, mir alles über Salisbury zu erzählen, was sich in dreißig Minuten Fußweg unterbringen lässt. Alma unterbrach ihren Mann nur, wenn er Jahreszahlen erwähnte, weil Edward die leicht durcheinanderbringt. Aber die Mühe hätte sie sich sparen können. Ich hörte eh nicht zu.

Salisbury, gegründet in den feuchten Nebeln dunkler Vorzeit, 50 000 Einwohner und 3,2 Millionen Touristen, die die Kathedrale anstarren wollen. Die Stadt empfing mich mit strömendem Regen und über den nassen Dächern reckte die Kathedrale ihren Turm wie einen mahnenden Finger in den Himmel. *Herhören, Jon Whitcroft und alle Söhne dieser Welt! Ihr seid Dummköpfe, zu glauben, dass eure Mütter euch mehr lieben als alles andere auf der Welt!*

Ich sah weder nach links noch nach rechts, während wir Straßen folgten, die es schon zur Zeit der letzten Pest in England gegeben hatte. Edward Popplewell kaufte mir auf dem Weg ein Eis (»Eis schmeckt auch bei Regen. Hab ich recht, Jon?«). Aber ich brachte in meinem Weltschmerz nicht mal ein Danke über die Lippen und malte mir stattdessen aus, wie sich Schokoladeneiskleckse auf seiner blassgrauen Krawatte ausbreiteten.

Es war Ende September und auf den Straßen drängten sich trotz des Regens die Touristen. Restaurants priesen Fish and Chips an, und das Fenster eines Schokoladenladens sah wirklich verlockend aus, aber die Popplewells steuerten auf das Tor in der alten Stadtmauer zu, das von Läden flankiert wird, die Kathedralen, Ritter und Wasser speiende Dämonen aus versilbertem Plastik verkaufen. Für den Anblick, der einen hinter dem Tor erwartet, kamen all die Fremden, die sich mit quietschbunten Rucksäcken und Lunchpaketen auf der Hauptstraße drängten, aber ich hob nicht mal den Kopf, als sich vor mir der Domhof von Salisbury auftat. Ich hatte weder einen Blick für die Kathedrale, deren Turm dunkel vom Regen war, noch für die alten Häuser, die sie wie eine Schar gut gekleideter Diener umgaben. Ich sah nur den Vollbart auf dem Sofa vor unserem Fernseher sitzen, zu seiner Linken meine Mutter, rechts meine Schwestern, die darum stritten, wer ihm zuerst auf den Schoß klettern durfte, und Larry, der Verräterhund, zu seinen Füßen. Während die Popplewells sich über meinen Kopf hinweg über das Jahr stritten, in dem die Kathedrale erbaut worden war, sah ich mein verwaistes Zimmer vor mir und meinen leeren Stuhl in meiner alten Schule. Nicht, dass ich auf dem je besonders gern gesessen hätte, aber nun rührte mich schon der Gedanke daran zu Tränen ... die ich mir mit Almas lavendelverseuchtem (und inzwischen schokoladenbraunem) Taschentuch aus den Augen wischte.

Alle weiteren Erinnerungen an meinen Ankunftstag sind in heimwehkranken Nebel gehüllt, aber wenn ich mich anstrenge, tauchen ein paar unscharfe Bilder auf: das Tor zu dem alten Haus, in dem die Internatsschüler untergebracht sind (»erbaut 1565, Jon!« – »Unsinn, Edward, 1594, und der Anbau, in dem er schlafen wird, stammt von 1920«), enge Flure, Zimmer, die nach Fremde rochen, fremde Stimmen, fremde Gesichter, Essen, das so sehr nach Heimweh schmeckte, dass ich kaum einen Bissen herunterbrachte ...

Die Popplewells hatten mich einem Dreibettzimmer zugeteilt.

»Jon, das hier sind Angus Mulroney und Stuart Crenshaw«, verkündete Alma, als sie mich ins Zimmer schob. »Ich bin sicher, ihr werdet die allerbesten Freunde werden.«

Ach ja? Und was, wenn nicht?, dachte ich, während ich die Poster musterte, die meine künftigen Mitbewohner an die Wände gehängt hatten. Natürlich war das einer Band dabei, die ich hasste. Zu Hause hatte ich mein eigenes Zimmer gehabt, mit einem Schild an der Tür, das verkündete: »*Eintritt für Fremde und Familienmitglieder strengstens verboten*« (auch wenn meine kleinste Schwester es nicht lesen konnte). Niemand hatte neben oder unter mir geschnarcht. Keine Schweißsocken auf meinem Teppich (außer meinen eigenen), keine Musik, die ich nicht mochte, oder Poster von Bands UND Fußballteams an der Wand, die ich verabscheute. Internat. Mein Hass auf den Vollbart hätte Hamlet alle Ehre gemacht (nicht, dass ich damals irgendetwas über Hamlet gewusst hätte).

Stu und Angus gaben sich alle Mühe, mich aufzumuntern, aber ich war zu unglücklich, um mir auch nur ihre Namen zu merken. Ich nahm nicht mal die Weingummis an, die sie mir aus ihrem geheimen (und streng verbotenen) Süßigkeitsvorrat anboten. Als meine Mutter abends anrief, ließ ich keinen Zweifel daran aufkommen, dass sie das Glück ihres einzigen Sohnes einem vollbärtigen Fremden geopfert hatte, und hängte mit der grimmigen Gewissheit auf, dass sie eine ebenso schlaflose Nacht verbringen würde wie ich.

Internat. Licht aus um 20:30 Uhr. Zum Glück hatte ich meine Taschenlampe mitgebracht. Ich verbrachte Stunden damit, Grabsteine mit dem Namen des Vollbarts zu zeichnen, während ich auf die harte Matratze und das blödsinnig flache Kissen fluchte.

Ja. Meine erste Nacht in Salisbury war ziemlich finster. Natürlich waren die Gründe für mein abgrundtiefes Unglück vollkommen lächerlich, gemessen an dem, was folgte. Aber wie sollte ich ahnen, dass Heimweh und der Vollbart bald meine geringsten Sorgen sein würden? Ich habe mich seit damals oft gefragt, ob es so etwas wie Schicksal gibt, und wenn ja, ob man ihm aus dem Weg gehen kann. Wäre ich auch irgendwann in Salisbury gelandet, wenn meine Mutter sich nicht wieder verliebt hätte? Oder hätte ich Longspee, Ella und Stourton ohne den Vollbart nie getroffen? Vielleicht.

2

Drei tote Männer

Meine neue Schule sah ich am nächsten Tag. Vom Internat war es nur ein kurzer Fußweg über den Domhof, und diesmal warf ich der Kathedrale immerhin einen verschlafenen Blick zu, als Alma Popplewell mich daran vorbeiführte. Die Straße dahinter war von Buchen gesäumt und hallte wider vom Geschrei erschreckend wacher Erstklässler. Alma legte mir schützend den Arm um die Schulter, was ziemlich peinlich war, vor allem, als die ersten Mädchen an uns vorbeiliefen.

Das Schulgelände liegt am Ende der Straße hinter einem schmiedeeisernen Tor, an dem man sich beim Hinüberklettern leicht die Hosen zerreißt, aber an diesem Morgen stand es weit offen. Das Wappen, das es schmückt, zeigt nur eine enttäuschende weiße Lilie auf blauem Grund, keine Einhörner und Löwen, wie auf dem an der Stadtmauer. »Nun, das ist schließlich auch das königliche Wappen der Stuarts, Mr Whitcroft!«, würde Mr Rifkin, mein neuer

Geschichtslehrer, mit entnervter Miene feststellen, als ich das ein paar Tage später bemängelte – und eine quälende Stunde lang erklären, warum aufregende Wappentiere für eine Kathedralenschule gänzlich unpassend waren.

Meine alte Schule hatte einer Zementschachtel geglichen. Die neue war ein Palast. »Erbaut 1225, als Wohnsitz des Bischofs«, wie Alma mir mit erhobener Stimme erklärte, weil sich eine Horde lärmender und beunruhigend großer Jungen an uns vorbeidrängte.

Mir war übel vor Angst, und es half wenig, dass ich mir zum Trost ausmalte, den Vollbart an einem der riesigen Bäume aufzuknüpfen, die auf dem Rasen vor der Schule wuchsen.

Alma setzte ihren Vortrag fort, während wir über knirschenden Kies auf den Eingang zugingen. »Das Hauptgebäude wurde 1225 erbaut, Bischof Beauchamp ließ im 15. Jahrhundert einen Turm auf der Ostseite errichten, die Fassade ist …« Und so weiter, und so weiter. Sie betete sogar die Namen etlicher Bischöfe herunter, die früher hier residiert hatten. Ihre Porträts hängen im Treppenhaus, und angeblich bringt es Glück, ihnen vor einem Test Papierkugeln gegen die Stirn zu werfen. Aber bei mir hat das nie funktioniert. Wie auch immer … von all dem Wissen, mit dem Alma meinen müden Kopf an diesem ersten Morgen füllte, blieb mir nur im Gedächtnis haften, dass Jakob der Zweite hinter einem der Fenster im zweiten Stock so schlimmes Nasenbluten bekam, dass er tagelang im Bett lag, statt gegen Wilhelm von Oranien zu kämpfen.

Ich lernte nicht viel an diesem ersten Tag. Ich war zu sehr damit beschäftigt, mir Namen und Gesichter zu merken und mich in dem Labyrinth aus Korridoren und Treppen nicht zu verlaufen.

Ich musste zugeben, dass meine Mitschüler nicht verhungert aussahen, und die dunklen Säle, die ich in meinen Träumen gesehen hatte, waren auch nirgends zu entdecken. Sogar die Lehrer waren erträglich. Aber all das änderte nichts an der Tatsache, dass ich ein Verbannter war, und so kehrte ich jeden Abend mit derselben finsteren Miene zu Angus und Stu zurück, die ich am Morgen vor dem Spiegel im Waschraum aufgesetzt hatte. Ich war der Graf von Monte Christo, der von der furchtbaren Gefängnisinsel zurückkehren würde, um Rache an allen zu nehmen, die ihn dorthin gebracht hatten. Ich war Napoleon, verbannt und einsam sterbend auf St. Helena. Harry unter der Treppe der Dursleys.

Das Haus, in dem ich die Nächte meiner Verbannung verbrachte, hat keine Geschichten über königliches Nasenbluten zu bieten. Das Internat der Schule war erst kurz vor meiner Ankunft vom Bischofspalast dorthin gezogen. Das Gebäude ist, wie mir die Popplewells erzählt hatten, auch ziemlich alt, aber in dem moderneren Anbau, in dem wir schliefen, herrschte das 21. Jahrhundert: Linoleum, Etagenbetten, Waschräume und im Erdgeschoss ein Fernsehzimmer. Den Mädchen gehörte der erste Stock, den Jungen der zweite.

In unserem Dreibettzimmer war Angus der unbestrittene Inhaber des Einzelbetts. Angus war einen Kopf größer als ich, drei viertel schottisch (über das andere Viertel schwieg er sich aus), ein ziemlich guter Rugby-Spieler und einer der Auserwählten, wie die Choristen der Schule von uns weniger Auserwählten genannt wurden. Sie trugen Gewänder, die fast so alt wie der Bischofspalast waren, wurden für Proben vom Unterricht befreit und sangen nicht nur in der Kathedrale, sondern auch an so exotisch klingenden Orten wie Moskau oder New York. (Ich war wenig überrascht, als ich den Test nicht bestand, aber Mam war ziemlich enttäuscht. Schließlich war mein Vater ein Chorist gewesen.)

Über Angus' Bett hingen Fotos von seinem Hund, zwei Kanarienvögeln und einer zahmen Schildkröte, doch keins von den menschlichen Mitgliedern seiner Familie. Als Stu und ich sie schließlich kennenlernten, stellten wir fest, dass sie tatsächlich nicht so nett wie der Hund und die Kanarienvögel aussahen. Allerdings hatte Angus' Großvater sehr viel Ähnlichkeit mit der Schildkröte. Angus schlief unter einem Berg von Stofftieren und trug Schlafanzüge mit Hundemuster, was beides, wie ich schnell lernte, besser unkommentiert blieb, wenn man nicht am eigenen Leib erfahren wollte, was eine Schottische Umarmung war.

Stu belegte das obere Etagenbett, was mir das untere übrig ließ, und eine Matratze über meinem Kopf, deren Ächzen mich in den ersten Nächten jedes Mal aus dem Schlaf riss, wenn Stu sich umdrehte. Stu war nur unerheblich größer als ein Eichhörnchen und hatte so viele Sommersprossen, dass sie kaum auf sein Gesicht passten. Außerdem war er so gesprächig, dass ich sehr dankbar dafür war, dass Angus ihm von Zeit zu Zeit einfach den Mund zuhielt. Stu hatte keine Leidenschaft für Stofftiere oder hundebedeckte Schlafanzüge. Er liebte es, seinen mageren Körper mit falschen Tattoos zu bedecken, die er sich mit wasserfesten Markern an jede erreichbare Stelle malte, obwohl Alma Popplewell sie ihm zweimal die Woche mitleidlos von der Haut schrubbte.

Die zwei taten ihr Bestes, mich aufzumuntern, aber neue Freunde vertrugen sich nicht mit meiner Überzeugung, verstoßen und unglücklich zu sein. Zum Glück nahmen weder Angus noch Stu mein mürrisches Schweigen persönlich. Angus hatte selbst noch Anfälle von Heimweh, obwohl es schon sein zweites Internatsjahr war, und Stu war zu beschäftigt damit, sich in jedes halbwegs gut aussehende Mädchen auf der Schule zu verlieben, um allzu viele Gedanken an mich zu verschwenden.

Die Nacht, in der mir klar wurde, dass Heimweh meine geringste Sorge in Salisbury sein würde, war meine sechste Nacht. Angus summte im Schlaf irgendeine Hymne vor sich hin, die er für den Chor probte, und ich lag da und fragte mich wieder mal, wer zuerst nachgeben würde: meine Mutter, weil sie endlich einsah, dass ihr einziger Sohn für sie wichtiger war als ein vollbärtiger Zahnarzt, oder ich, weil ich mein bleischweres Herz leid sein und sie anbetteln würde, mich nach Hause zu holen.

Ich wollte mir gerade das Kissen über den Kopf ziehen, um Angus' gemurmeltem Singsang zu entkommen, als ich das Schnauben der Pferde hörte. Ich erinnere mich noch, dass ich mich fragte, ob Edward Popplewell neuerdings mit dem Pferd vom Pub nach Hause kam, während ich zum Fenster tappte. Angus' schläfriges Gesumme, unsere Kleider auf dem Boden, das kitschige Nachtlicht, das Stu auf den Schreibtisch gestellt hatte – all das bereitete mich in keiner Weise darauf vor, dass draußen in der regennassen Nacht etwas Bedrohliches warten könnte.

Aber da waren sie.

Drei Reiter, so bleich, als hätte die Nacht Schimmel angesetzt. Und sie starrten zu mir herauf.

Alles an ihnen war farblos: Umhänge, Stiefel, Handschuhe, Gürtel – und die Schwerter an ihrer Seite. Sie sahen aus wie Männer, denen die Nacht das Blut aus den Körpern gesaugt hatte. Dem Größeren hing das strähnige Haar bis auf die Schultern, und durch seinen Körper sah ich die Ziegel der Mauer, die den Garten umgab. Der neben ihm hatte ein Hamstergesicht und war ebenso wie der dritte so durchscheinend, dass der Baum hinter ihnen durch ihre Brustkörbe zu wachsen schien. Um ihre Hälse zogen sich dunkle Striemen, als hätte ihnen jemand ein stumpfes Messer über die Kehlen gezogen. Das Furchtbarste aber waren ihre Augen: Brandlöcher, angefüllt mit Mordlust. Sie brennen mir bis heute Löcher ins Herz.

Ihre Pferde waren ebenso bleich wie die Reiter, mit aschfarbenem Fell, das ihre fleischlosen Knochen wie zerschlissener Stoff bedeckte.

Ich wollte mir die Augen zuhalten, nur um die blutleeren Gesichter nicht mehr zu sehen, aber ich konnte vor Angst nicht mal die Arme heben.

»Heh, Jon. Was starrst du da draußen an?«

Ich hatte nicht mal gehört, dass Stu aus dem Bett geklettert war.

Der größte Geist zeigte mit dem knochigen Finger auf mich und sein lippenloser Mund formte eine lautlose Drohung. Ich stolperte zurück, aber Stu schob sich an mir vorbei und presste die Nase gegen die Fensterscheibe.

»Nichts!«, stellte er enttäuscht fest. »Nichts zu sehen!«

»Lass ihn in Ruhe, Stu!«, murmelte Angus verschlafen. »Wahrscheinlich schlafwandelt er. Schlafwandler werden verrückt, wenn du mit ihnen sprichst.«

»Schlafwandler? Seid ihr blind?« In meiner Panik wurde ich so laut, dass Stu einen besorgten Blick zur Tür warf. Aber die Popplewells hatten einen festen Schlaf.

Der Geist mit dem Hamstergesicht grinste. Sein Mund war ein klaffender Schlitz in seinem fahlen Gesicht. Dann zog er langsam, ganz langsam sein Schwert. Blut begann, von der Klinge zu triefen, und ich fühlte einen so scharfen Schmerz in der Brust, dass ich nach Atem rang. Ich fiel auf die Knie und kauerte mich zitternd unters Fensterbrett.

Ich erinnere mich heute noch an die Angst. Ich werde mich immer erinnern.

»Verdammt, Jon. Leg dich wieder schlafen!« Stu stolperte zu seinem Bett zurück. »Da draußen ist nichts außer ein paar Mülleimern.«

Er sah sie wirklich nicht.

Ich nahm all meinen Mut zusammen und lugte über das Fensterbrett.

Die Nacht war dunkel und leer. Der Schmerz in meiner Brust war verschwunden und ich kam mir wie ein Idiot vor.

Na bestens, Jon, dachte ich, während ich zurück unter die kratzige Bettdecke kroch. Jetzt wirst du schon verrückt vor Heimweh. Vielleicht hatte ich auch Halluzinationen, weil ich außer Stus und Angus' Weingummis kaum etwas aß.

Angus begann wieder, im Schlaf vor sich hin zu summen, aber ich stand noch ein paarmal auf und schlich ans Fenster zurück.

hut von Alma und Edward Popplewell zu führen. Keiner von uns mochte Rifkin. Ich glaube, er mochte sich selbst auch nicht besonders. Er war nicht viel größer als wir und musterte uns ständig mit so säuerlichem Gesicht, als verursachten wir ihm Zahnschmerzen. Das Einzige, was ihn glücklich machte, waren vergangene Kriege. Rifkin zerbrach jedes Mal ein Dutzend Kreiden vor Begeisterung, wenn er uns die Heeresaufstellungen berühmter Schlachten auf die Tafel malte. Das und die Angewohnheit, sich das dünne Haar mit größter Sorgfalt, aber wenig Erfolg über den kahlen Schädel zu kämmen, hatte ihm den Namen Bonapart eingebracht (ja, ich weiß, das E fehlt, aber wir alle hatten unsere Schwierigkeiten mit der Rechtschreibung französischer Namen).

Auf dem Rasen vor der Kathedrale leuchteten die Scheinwerfer auf, die sie nachts anstrahlten. Sie bleichten die grauen Mauern, als hätte sie jemand mit Mondlicht gewaschen. Der Domhof war um diese Zeit fast menschenleer und Bonapart scheuchte uns ungeduldig an den parkenden Autos vorbei. Es war ein kühler Abend, und ich fragte mich, während wir alle im kalten englischen Wind froren, ob der Vollbart schon einen Sonnenbrand hatte und meine Mutter ihn mit schälender Haut weniger aufregend finden würde.

Die drei Reiter waren nicht mehr als ein böser Traum, den das Tageslicht mir aus dem Gedächtnis gewaschen hatte. Aber sie hatten mich nicht vergessen. Und diesmal bewiesen sie mir, dass sie nicht nur Einbildung waren.

Das Internatshaus liegt nicht gleich an der Straße. Es steht am Ende eines breiten Fußwegs, der von der Straße abbiegt und an ein paar Häusern vorbei auf das Tor zuführt, hinter dem sich Haus und Garten befinden. Sie warteten neben dem Tor, hoch zu Pferd, wie in der vergangenen Nacht, und diesmal waren sie zu viert.

Ich blieb so abrupt stehen, dass Stu in mich hineinstolperte.

Natürlich sah er sie auch diesmal nicht. Niemand sah sie. Außer mir.

Der vierte Geist ließ die anderen drei wie zerlumpte Wegelagerer aussehen. Sein hohlwangiges Gesicht war starr vor Hochmut und seine Kleider waren sicher irgendwann die eines reichen Mannes gewesen. Doch um die Handgelenke trug er eiserne Ketten und um seinen Hals hing eine Galgenschlinge.

Er war ein so furchtbarer Anblick, dass ich ihn nur anstarren konnte, aber Bonapart wandte nicht mal den Kopf, als er an ihm vorbeiging.

Gib schon zu, du ahnst den Grund, warum niemand außer dir sie sieht, Jon Whitcroft!, flüsterte es in mir, während ich dastand und kein Glied rühren konnte. Sie haben es nur auf dich abgesehen!

Aber warum?, schrie alles in mir. Warum ich, verflucht! Was wollen sie von mir?

Von einem der Dächer krächzte ein Rabe, und der Anführer stieß seinem Pferd die Sporen in die Seiten, als hätte der heisere Schrei ihm das Zeichen gegeben. Mit hohlem Wiehern bäumte es sich auf – und ich drehte mich um und rannte.

Ich bin kein besonders guter Läufer. Aber in dieser Nacht rannte ich um mein Leben. Ich spür noch heute mein rasendes Herz und das Stechen in meinen Lungen. Ich rannte an den alten Häusern

vorbei, die im Schatten der Kathedrale stehen, als suchten sie Schutz bei ihr vor der Welt, die außerhalb der alten Stadtmauer lärmt, vorbei an parkenden Autos, erleuchteten Fenstern und verschlossenen Gartentoren. Renn, Jon! Hinter mir hallten die Hufschläge über den abendlichen Domhof, und ich glaubte, den Atem der Höllenpferde in meinem Nacken zu spüren.

Bonapart rief meinen Namen: »Whitcroft! Whitcroft, zum Teufel, bleib sofort stehen!«, ... aber der Teufel war es ja, der hinter mir her war, und plötzlich hörte ich eine andere Stimme ... falls es eine Stimme war.

Ich hörte sie in meinem Kopf und meinem Herzen. Hohl und heiser und so grausam, dass ich sie wie ein stumpfes Messer in meinem Innern spürte.

»Ja, renn, Hartgill!«, höhnte sie. »Renn. Wir jagen nichts lieber als deine schmutzige Brut. Und noch ist uns keiner entkommen.«

Hartgill? Das war der Mädchenname meiner Mutter. Nicht, dass sie aussahen, als ob sie diese Feinheit interessierte. Ich stolperte weiter, schluchzend vor Angst. Der mit den strähnigen Haaren schnitt mir den Weg ab und die anderen drei waren hinter mir. Zu meiner Rechten reckte die Kathedrale ihren Turm den Sternen entgegen.

Vielleicht rannte ich auf sie zu, weil sie dastand, als könnte nichts ihre Mauern erschüttern. Aber der weite Rasen, der sie umgab, war nass vom Regen, und ich rutschte bei jedem Schritt aus, bis ich schließlich keuchend auf den Knien landete. Ich kauerte mich zitternd auf den kalten Boden und schlang die Arme um den Kopf, als könnte mich das vor meinen Jägern verbergen. Kälte hüllte mich ein wie Nebel und über mir wieherte ein Pferd.

»Das Morden ist ohne die Jagd nur der halbe Spaß, Hartgill!«, raunte die Stimme in meinem Kopf. »Aber am Ende ist der Hase immer tot.«

»Mein Name ist Whitcroft!«, stammelte ich. »Whitcroft!« Ich wollte um mich schlagen, treten, ihre weißen Leiber zur Hölle schicken, wo sie herkamen. Aber stattdessen hockte ich im feuchten Gras und übergab mich fast vor Angst.

»Whitcroft!«, Bonapart beugte sich über mich. »Whitcroft, steh auf!«

Ich war nie zuvor so glücklich gewesen, die Stimme eines Lehrers zu hören. Ich vergrub mein Gesicht im Gras und schluchzte, aber diesmal vor Erleichterung.

»Jon Whitcroft! Sieh mich an!«

Ich gehorchte, und Bonapart fischte ein Taschentuch aus der Tasche, als er mein verheultes Gesicht sah. Mit zitternden Fingern griff ich danach und lugte an ihm vorbei.

Die Geister waren fort. Ebenso wie die Stimme. Aber die Angst war noch da. Sie klebte mir wie Ruß auf dem Herzen.

»Himmel, Whitcroft. Nun steh schon auf!« Bonapart zog mich auf die Füße. Die anderen Kinder standen am Rand des Rasens und starrten mit großen Augen zu uns herüber.

»Ich nehme an, du hast eine Erklärung für diesen ziellosen Spurt durch die Nacht?«, fragte Bonapart, während er mit Abscheu meine schmutzigen Hosen musterte. »Oder wolltest du uns allen nur beweisen, wie schnell du laufen kannst?«

Aufgeblasener Mistkerl.

Meine Knie zitterten immer noch, aber ich versuchte mein Bestes, so gefasst wie möglich zu klingen, als ich antwortete: »Da waren vier Geister. Geister auf Pferden. Sie … sie haben mich gejagt.«

Das Ganze klang selbst in meinen Ohren idiotisch. Ich schämte mich so sehr, dass ich mir wünschte, der feuchte Rasen würde mich auf der Stelle verschlucken. Angst und Schande. Konnte es noch schlimmer kommen? Oh ja, Jon.

Bonapart seufzte und blickte so anklagend an der beleuchteten Kathedrale hinauf, als hätte sie mir diese lächerliche Geschichte eingeflüstert.

»Also gut, Whitcroft«, sagte er, während er mich nicht sonderlich sanft zurück zur Straße zog. »Mir scheint, wir haben es hier mit einem ungewöhnlich heftigen Anfall von Heimweh zu tun. Vermutlich haben diese Geister dir befohlen, auf der Stelle nach Hause zu rennen, stimmt's?«

Wir standen inzwischen wieder bei den anderen und eins der Mädchen fing an zu kichern. Aber der Rest musterte mich so besorgt, wie Stu es in der Nacht zuvor getan hatte.

Ich hätte mir auf die Zunge beißen und meine Wut über so viel Blindheit und ungerechten Spott herunterschlucken sollen, aber ich bin nicht allzu gut im Herunterschlucken. Ich hab es bis heute nicht gelernt.

»Sie waren da, ich schwör's! Was kann ich dafür, dass keiner sonst sie sieht? Sie hätten mich fast umgebracht!«

Bleierne Stille breitete sich aus, und einige der Jüngeren wichen vor mir zurück, als hätten sie Angst, mein Wahnsinn könnte ansteckend sein.

»Sehr beeindruckend!«, sagte Bonapart, während seine kurzen Finger sich fest um meine Schulter schlossen. »Ich hoffe, du beweist in deinem nächsten Geschichtsaufsatz ebenso viel Erfindungsreichtum.«

Bonapart ließ meine Schulter erst los, als er mich bei den Popplewells abgeliefert hatte. Zum Glück erwähnte er ihnen gegenüber mit keinem Wort, was geschehen war, aber Angus und Stu waren für den Rest des Abends sehr schweigsam. Sie waren inzwischen bestimmt sicher, dass sie das Zimmer mit einem Verrückten teilten, und fragten sich, was geschehen würde, wenn ich erst vollends den Verstand verlor.

4

Ella

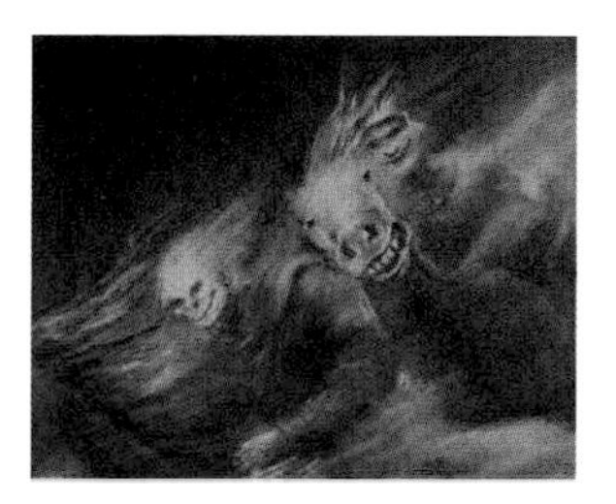

Angus und Stu schliefen trotz der Ereignisse auch in dieser Nacht tief und fest, aber ich machte natürlich kein Auge zu. In meiner Verzweiflung dachte ich sogar darüber nach, meine Mutter anzurufen. Aber was sollte ich ihr sagen? *Mam, vergiss Spanien. Vier Geister jagen mich, und ihr Anführer hat mich Hartgill genannt und gedroht, mich zu töten?* Nein. Ganz abgesehen davon, dass sie das Ganze nur dem Vollbart erzählen würde, und es ganz bestimmt keinen einzigen Zahnarzt auf diesem Planeten gab, der an Geister glaubte. Er würde sie bloß davon überzeugen, dass dies ein weiterer Versuch von mir war, ihr das Leben schwer zu machen.

Finde dich damit ab, Jon Whitcroft, sagte ich mir. Es sieht ganz so aus, als würdest du nicht mal deinen zwölften Geburtstag erleben! Und während draußen schon die Sonne aufging, grübelte ich darüber nach, ob ich mich, wenn sie mich umbrachten, auch in einen Geist verwandeln und für den Rest meines Lebens in Salisbury spuken und Bonapart und die Popplewells erschrecken würde. Leider nicht auszuschließen, Jon, sagte ich mir, aber für eins wirst du vorher sorgen: dass du morgen nicht das Gespött der ganzen Schule bist! Nicht, dass das für jemanden, der vielleicht bald tot sein würde, wirklich wichtig gewesen wäre, aber ich bin auch nicht sonderlich gut darin, mich auslachen zu lassen.

Am nächsten Morgen erzählte ich Angus und Stu, dass ich mit der ganzen Geistergeschichte nur versucht hatte, Bonapart zum Narren zu halten. Die beiden blickten sehr erleichtert drein (wer teilt schon gern das Zimmer mit einem Verrückten?) und bei Stu verwandelte sich die Besorgnis auf der Stelle in Bewunderung. Er verbreitete meine neue Version der Ereignisse beim Frühstück – mit so großem Erfolg, dass zwei Viertklässler, als Bonapart ihnen die Angriffsstrategie von Richard Löwenherz vor Jerusalem erklärte, in schrille Schreckensschreie ausbrachen und behaupteten, seinen königlichen Geist blutbesudelt vor der Tafel stehen zu sehen. Sie leisteten mir dafür in der Bibliothek Gesellschaft bei ein paar Strafaufgaben, aber ich galt nicht länger als verrückt, sondern war ein Held.

Wenn ich mich bloß wie einer gefühlt hätte. Stattdessen erstickte ich fast an meiner Angst. Während die anderen sich zum Mittagessen die Mägen mit Kartoffelmus und Hackbraten füllten, starrte ich aus dem Fenster des Speisesaals und grübelte darüber nach, ob dieser graue Septembertag vielleicht mein letzter sein würde.

Ich würgte gerade einen Bissen Hackbraten herunter, weil ich mir sagte, dass ich halb verhungert weniger schnell davonlaufen konnte, als sich ein Mädchen auf den leeren Stuhl mir gegenüber setzte.

Das Hackfleisch blieb mir fast im Hals stecken.

So etwas passierte einfach nicht. Mädchen meines Alters hielten sich gewöhnlich von Jungen fern. Selbst die jüngeren demonstrierten ständig, für wie unerträglich kindisch sie uns hielten.

Sie war keine von den Internatsschülerinnen, aber ich hatte sie schon ein paarmal auf dem Schulgelände gesehen. Das Auffallendste an ihr war das lange dunkle Haar. Es wehte ihr wie ein Schleier nach, wenn sie über den Hof lief.

»Es waren also vier?«, fragte sie so beiläufig, als ob sie über das Essen auf meinem Teller redete (über das es wirklich nicht viel zu sagen gab).

Dabei musterte sie mich, als messe sie nicht nur mein Äußeres, sondern auch mein Inneres aus. Nur Ella sieht einen auf die Art an. Natürlich wusste ich damals noch nicht ihren Namen. Sie hatte sich nicht vorgestellt. Ella macht nie überflüssige Worte.

Ich war damals trotz meiner zwei Schwestern nicht sonderlich gut im Umgang mit Mädchen (vielleicht machen Schwestern es sogar schlimmer). Ich wusste einfach nicht, worüber man mit ihnen reden sollte. Und Ella war auch noch hübsch, ein Umstand, der mich gewöhnlich aufs Peinlichste rot anlaufen ließ. (Zum Glück hat sich das inzwischen gelegt.) Wie auch immer … ich begann, meine Bonapart-Geschichte herunterzubeten. Aber ein kühler Blick von ihr und die Worte erstarben mir auf den Lippen.

Sie beugte sich über den Tisch. »Die Version kannst du den anderen erzählen«, sagte sie mit gesenkter Stimme. »Wie sahen sie aus?«

Sie wollte die Wahrheit hören. Ich konnte es nicht fassen. Aber so sehr ich die jemandem erzählen wollte – sie war ein Mädchen! Was, wenn sie mich auslachte? Was, wenn sie all ihren Freundinnen erzählte, dass Jon Whitcroft, dieser Hohlkopf, tatsächlich an Geister glaubte?

»Sie sahen tot aus, was sonst?« Ich vermied es, sie anzusehen und starrte stattdessen auf meine Finger – nur um festzustellen, dass meine Nägel schmutzig waren (im Beisein von Mädchen fallen einem solche Tatsachen auf der Stelle auf). Warum, zum Teufel, war sie nicht verlegen? Weil ihresgleichen, du Idiot, nicht halb so schnell verlegen wird wie du, flüsterte es in mir. Sie stottern auch nicht plötzlich herum, als hätten sie das Sprechen verlernt.

»Was hatten sie an?«

Na, wenn das keine Mädchenfrage war. Ella griff nach meiner Gabel und begann, meinen Kartoffelbrei zu essen.

»Altmodisches Zeug«, murmelte ich. »Umhänge, Schwerter ...«

»Welches Jahrhundert?« Ella nahm sich noch eine Gabel Kartoffelbrei.

»Welches Jahrhundert?«, fragte ich entgeistert. »Was weiß ich? Sie sahen aus, als wären sie aus irgendeinem verdammten Gemälde gestiegen.« (Hör auf zu fluchen, Jon! Wenn ich verlegen war, fing ich immer an zu fluchen. Meine Mutter versuchte mir das seit Jahren ohne Erfolg abzugewöhnen.)

»Konntest du durch sie durchsehen?«

»Allerdings.« Es tat so gut, endlich mit jemandem über sie zu reden! Auch wenn es mir immer noch zu schaffen machte, dass es ein Mädchen war, mit dem ich über meine Verfolger sprach.

Ella nahm meine Beschreibung mit solchem Gleichmut entgegen, als hätte ich ihr unsere Schuluniform beschrieben. »Und?«, fragte sie. »Noch was?«

Ich sah mich um, aber niemand achtete auf uns. »Sie haben Würgemale an den Hälsen«, raunte ich über den Tisch. »So, als ... als ob sie alle aufgeknüpft worden wären! Ihrem Anführer hängt die Schlinge sogar noch um den Hals. Und sie wollen mich umbringen, ich weiß es. Sie haben es gesagt!«

Ich gebe zu, ich erwartete, dass diese Offenbarung sie beeindrucken würde. Aber Ella hob nur spöttisch die Augenbrauen. Sie hat sehr dunkle Brauen. Dunkler als Bitterschokolade.

»Das ist Blödsinn«, stellte sie verächtlich fest. »Geister können niemanden umbringen. Sie können es einfach nicht.«

Diesmal schoss mir das Blut vor Ärger ins Gesicht – was es nicht weniger peinlich machte.

»Na, wunderbar!«, fuhr ich sie an. »Ich richte es ihnen aus, wenn sie mich das nächste Mal über den Domhof jagen!«

Am Nebentisch drehten sich ein paar Drittklässler zu uns um. Ich warf ihnen einen, wie ich hoffte, einschüchternden Blick zu und senkte die Stimme. »Und warum«, raunte ich, während Ella sich seelenruhig noch einmal bei meinem Kartoffelbrei bediente, »warum tropfte dann einem von ihnen Blut vom Schwert, als ich sie zum ersten Mal gesehen hab?«

Ella zuckte unbeeindruckt die Schultern. »So was machen sie gern«, sagte sie mit gelangweilter Stimme. »Blut, Knochen, das bedeutet gar nichts.«

»Oh, danke für die Aufklärung!«, fuhr ich sie an. »Du weißt

offenbar alles über die verdammten Geister in dieser Stadt! Aber da, wo ich herkomme, ist es nicht die normalste Sache der Welt, dass sie nachts unter deinem Fenster stehen und mit bluttriefenden Schwertern auf dich zeigen!«

Diesmal starrte der ganze Speisesaal mich an.

Aber Ella warf mir nur einen ihrer Jon-Whitcroft-du-regst-dich-wirklich-zu-schnell-auf-Blicke zu.

»Na, dann steckst du wohl in Schwierigkeiten«, sagte sie und kehrte, ohne sich noch einmal umzusehen, an den Tisch zurück, an dem ihre Freundinnen saßen.

Ich muss ihr mit einem ziemlich dummen Gesichtsausdruck hinterhergestarrt haben, denn Angus und Stu wechselten einen besorgten Blick, bevor sie sich mit ihren Tabletts zu mir an den Tisch setzten.

»Sag nicht, du siehst hier unten neuerdings auch schon Geister«, sagte Stu.

»Ja, pass auf. Es sitzt einer auf dem Stuhl, auf den du dich gerade setzen willst!«, knurrte ich ärgerlich zurück – und wies unauffällig in Ellas Richtung. »Kennt einer von euch das Mädchen da? Das mit den langen dunklen Haaren?«

Ella stand auf und brachte ihren Teller zum Abwasch.

Angus warf ihr einen raschen Blick zu und senkte die Stimme. »Das ist Ella Littlejohn. Ihre Großmutter gibt Geistertouren für Touristen. Mein Vater sagt, sie ist eine echte Hexe. Sie soll zahme Kröten in ihrem Garten haben!«

Stu gab ein verächtliches Kichern von sich.

»Was ist daran komisch?«, zischte Angus, während Ella mit ein paar anderen Mädchen durch die Speisesaaltür verschwand. »Dad sagt, ihre Großmutter hätte schon vier Leute verhext!«

»Dein Vater sagt auch, dass Stonehenge von Aliens gebaut wurde!«

»Sagt er nicht!«

»Sagt er doch.«

Ich ließ die beiden streiten und warf einen Blick zum Fenster hinaus. Nur noch ein paar Stunden und es würde dunkel werden.

Na, dann steckst du wohl in Schwierigkeiten.

»Ich … ehm … ich muss los«, murmelte ich, ignorierte Stus neugierigen Blick – und lief Ella nach.

Ich fand sie draußen, obwohl es schon wieder regnete. Ella lehnte an einem Baum und sah zur Kathedrale hinüber. Sie schien nicht sonderlich überrascht, mich zu sehen.

»Meine Großmutter behauptet, dass es in der Kathedrale eine Graue Frau gibt«, sagte sie, als ich neben ihr stehen blieb. »Aber ich hab bisher nur den Jungen gesehen, der im Kreuzgang spukt. Er ist ein Steinmetzlehrling, der vom Gerüst gefallen ist, als sie die Turmspitze gebaut haben.« Sie fing mit der Zunge einen Regentropfen auf. »Er erschreckt gern Touristen. Flüstert ihnen irgendwelche altmodischen Schimpfworte zu. Ziemlich albern, aber vermutlich langweilt er sich einfach. Ich glaub, die meisten Geister langweilen sich.«

Ich fand, dass das eine schwache Entschuldigung dafür war, Elfjährige über den Domhof zu jagen, aber die Meinung behielt ich für mich.

Die Mauern der Kathedrale waren so dunkel vom Regen, als wären sie aus dem Grau des Himmels gemacht. Bislang hatte ich die Kathedrale wie alles andere, für das die Touristen nach Salisbury kamen, mit Verachtung gestraft. Aber ich hatte nicht vergessen, dass sie mir in der vergangenen Nacht als der einzig sichere Ort in dieser ganzen verdammten Stadt vorgekommen war. (Seht ihr? Ich fluche auch gern, wenn ich Angst habe.) Umso niederschmetternder war es zu hören, dass es sogar hinter ihren Mauern Geister gab. Auch wenn es keine Gehängten, sondern bloß tote Steinmetzlehrlinge waren.

»Ich ... ehm ...« Ich wischte mir ein paar Regentropfen von der Nase. Sie fielen seit meiner Ankunft in Salisbury so stetig vom Himmel, als löste sich die ganze Welt in Wasser auf. »Ich hab von deiner Großmutter gehört. Denkst du ... ich mein ... glaubst du, sie kann mir vielleicht helfen?«

Ella strich sich das nasse Haar hinter die Ohren und sah mich nachdenklich an. »Kann schon sein«, sagte sie schließlich. »Sie weiß eine Menge über Geister. Ich hab bisher nur ein paar gesehen, aber Zelda hat schon Dutzende getroffen.«

Dutzende! Offenbar war die Welt ein noch wesentlich beunruhigenderer Ort, als ich gedacht hatte. Bisher hatte ich eigentlich geglaubt, dass vollbärtige Zahnärzte das Schlimmste waren, was einem in ihr begegnen konnte.

»Du bist im Internat, oder?«, fragte Ella. »Bitte die Popplewells einfach um Erlaubnis, uns zu besuchen. Oder fährst du am Wochenende nach Hause?«

Nach Hause ... Wenn ich mich dorthin flüchtete, hieß das, für alle Zeit der heimwehkranke Jämmerling zu sein, der sich Gespenstergeschichten ausgedacht hatte, um zurück zu seiner Mutter zu können. Na und?, hör ich euch sagen. Entschieden besser, als tot zu sein. Aber mit meinem Stolz war das schon damals so eine Sache. Ganz abgesehen davon, dass ich die Nachbarin, die auf meine Schwestern und den Hund aufpasste, nicht ausstehen konnte …

»Nein«, murmelte ich. »Nein, ich fahr nicht nach Hause.«

»Bestens«, sagte Ella und fing einen weiteren Regentropfen mit der Zunge. Sie war so groß wie ich, obwohl sie eine Klasse tiefer war. »Dann sag ich meiner Großmutter, dass du morgen vorbeikommst.«

»Morgen? Aber das ist zu spät. Was, wenn sie heute Nacht wiederkommen?« Die Panik in meiner Stimme war entsetzlich peinlich. Doch ich hörte immer noch die hohle Stimme in meinem Kopf: *Aber am Ende ist der Hase immer tot.*

Ella runzelte die Stirn. »Ich hab dir doch gesagt, sie können dir nichts anhaben! Sie können dich nicht mal anfassen. Das Einzige, womit Geister dir schaden können, ist deine eigene Angst!«

Na, wunderbar. Davon hatte ich leider mehr als genug!

Die Verzweiflung stand mir offenbar deutlich auf die Stirn geschrieben, denn Ella seufzte.

»Also gut!«, sagte sie. »Dann komm heute. Aber nicht später als halb fünf. Ab fünf hält Zelda ihren Nachmittagsschlaf, und sie bekommt scheußliche Laune, wenn man sie dabei stört.«

Sie fischte einen Stift aus der Jackentasche und griff nach meinem Arm. »Es ist Hausnummer sieben«, sagte sie, während sie mir den Straßennamen auf den Unterarm schrieb. »Nimm einfach den

Weg über die Schafsweiden. Das Haus ist gleich hinter der alten Mühle. Aber tritt im Garten nicht auf die Kröten. Meine Großmutter ist ziemlich vernarrt in sie.«

Kröten. Was das betraf, hatte Angus' Vater also recht. Na, wie auch immer. Ein Regentropfen verwischte einen der Buchstaben auf meinem Arm. Hastig zog ich den Ärmel darüber. Ella hatte eine schöne Handschrift. Natürlich.

»Wohnst du bei deiner Großmutter?«, fragte ich.

»Nur, wenn meine Eltern auf Tour sind.«

»Auf Tour?«

»Zweite Geige und Flöte. Sie sind in einem Orchester. Aber es ist kein besonders gutes.« Sie drehte sich um. »Also bis halb fünf«, sagte sie über die Schulter.

Ich blickte ihr nach, als sie zum Schulgebäude zurücklief.

Vier Geister und die Enkelin einer Hexe. Viel wilder, dachte ich, kann es nun wohl nicht mehr kommen. Aber natürlich war auch das ein Irrtum.

5
Ein alter Mord

Es gab nur einen Weg, mit Ellas Großmutter zu sprechen, bevor sie ihren Nachmittagsschlaf machte. Ich musste mich während der Hausaufgabenzeit davonstehlen. Das würde mir zwar beträchtlichen Ärger einbringen, aber die Hoffnung, mir die vier Geister vom Hals zu schaffen, war jeden Schulärger wert. Es war zehn nach vier, als ich mich durch das Fenster des Jungenklos zwängte, und auf der Straße zum Tor lief ich fast in Bonapart hinein, aber zum Glück war er so in Gedanken, dass er mich nicht bemerkte.

Der Regen fiel wieder mal in Schnüren vom Himmel, als ich den Weg entlangstolperte, der über sumpfige Wiesen zur Alten Mühle führt. Die Sonne war nirgends zu entdecken, aber ich konnte mir ausrechnen, dass sie schon bedrohlich tief stand und blickte mich alle paar Schritte um, voller Angst, dass die vier Gehängten mir diesmal einen noch früheren Besuch abstatten würden. Doch alles,

was ich sah, waren ein paar durchweichte Schafe und zwei Spaziergänger, die ebenso tropfnass waren wie ich.

Das Haus von Zelda Littlejohn lag hinter einer verwilderten Weißdornhecke, die so hoch war, dass ich nur den First eines roten Daches sah. Das Gartentor klemmte, und als ich es endlich aufbekam, sprangen tatsächlich zwei Kröten davon. Eine dritte saß auf der Fußmatte vor der Haustür. Sie blickte mit ihren Bernsteinaugen so erstaunt zu mir hoch, als hätte sie noch nie etwas Seltsameres als mich zu Gesicht bekommen. Sie gab ein Quaken von sich, sobald ich auf den leicht angerosteten Klingelknopf drückte, und als Ella die Tür öffnete, versuchte sie an ihr vorbei ins Haus zu hüpfen, aber Ella war schneller und fing sie mit geübtem Griff.

»Du solltest dich schämen, das zu versuchen!«, sagte sie, während sie das strampelnde Ding mit einem strengen Blick bedachte. »Nach dem, was heute Morgen passiert ist, habt ihr mindestens einen Monat Hausverbot.«

Sie setzte ihre Gefangene in einen großen Topf neben der Tür, in dem schon zwei andere Kröten hockten, und deckte ein Tuch darüber.

»Meine Großmutter ist heute Morgen über eine von ihnen gestolpert«, sagte Ella, während sie mich mit sich winkte. »Sie hat sich den Fuß verstaucht, nur weil sie nicht auf sie drauftreten wollte! Ich hab Zelda schon hundert Mal gesagt, dass sie sie nicht ins Haus lassen soll, aber sie will einfach nichts davon hören!«

Als wir am Wohnzimmer vorbeikamen, sah ich zwei weitere Kröten auf dem Sofa sitzen. Ella folgte meinem Blick und seufzte.

»Ja, ich weiß, sie sind überall«, sagte sie, während sie mich den Flur hinunterführte. Auf der Tapete waren so große Sonnenblumen, dass einem schwindelig wurde. »Zelda behauptet, dass sie sie nur behält, weil sie Schnecken essen, aber das ist Blödsinn. In ihrem Garten wimmelt es von Schnecken, trotz all der Kröten. Angeblich war sie schon als Kind verrückt nach ihnen und hat sie ständig mit in die Schule genommen.«

Ich fragte mich, was Bonapart zu einer Kröte auf seinem Pult sagen würde, aber bevor ich mir die Folgen genauer ausmalen konnte, blieb Ella vor einer Tür stehen.

»Der Doktor sagt, dass Zelda mindestens sechs Wochen keine Touren führen kann!«, flüsterte sie mir zu. »Also hat sie ziemlich schlechte Laune.«

Ich machte mich aufs Schlimmste gefasst. Aber die alte Frau, die hinter der Tür mit bandagiertem Fuß auf ihrem Bett lag, sah nicht besonders furchterregend aus. Zelda glich einer Eule, die aus dem Nest gefallen war. Ihre Brille schien viel zu groß für ihr kleines faltiges Gesicht und die kurzen grauen Haare bedeckten ihren Kopf wie zerrupfte Federn. Zelda hielt ebenso wenig vom Vorstellen oder Begrüßen wie ihre Enkeltochter.

»Das ist er?«, fragte sie nur, während sie mich durch ihre dicken Brillengläser musterte.

»Sei freundlich zu ihm«, sagte Ella, während sie sich an den Fuß des Bettes setzte. »Sein Name ist Jon und diese Geister haben ihm schon genug zugesetzt.«

Aber Zelda schnaubte nur verächtlich und betrachtete mich so misstrauisch, dass ich rot wurde. Vielleicht las sie mir von der

Stirn ab, dass ich ihre Enkelin für das hübscheste Mädchen auf der Schule hielt.

»Hast du nicht erzählt, dass er vier Geister gesehen hat?«, fragte sie und griff nach der Kaffeetasse, die auf ihrem Nachttisch stand. »Ich finde, der Junge sieht so blass aus, als wären ihm ein Dutzend erschienen! Es ist ungewöhnlich, dass sie zu mehreren auftauchen«, stellte sie fest, während sie einen Schluck Kaffee nahm. »Die meisten Geister sind Einzelgänger.«

»Ella … Ella sagt, Sie hätten schon viele gesehen«, stammelte ich.

»Oh ja. Ich seh sie überall. Keine Ahnung, warum sie sich ausgerechnet mir so gern zeigen. Ich mag sie nicht mal besonders! Der Erste, den ich gesehen hab, war mein Großvater. Er saß eines Morgens auf meinem Bett, und ich musste mir anhören, dass ihm die neue Frisur meiner Großmutter nicht gefiel. Gewöhnlich geb ich den Rat, sie zu ignorieren, aber Ella sagt, dass die vier, die du gesehen hast, ziemlich unangenehm geworden sind. Also erzähl mir, was genau sie gemacht haben, und ich sag dir, wie du sie loswirst.«

Zelda unterbrach mich kein einziges Mal, während ich von den Reitern unterm Fenster und der Jagd über den Domhof erzählte. Sie trank nur ihren Kaffee und hob ein paarmal die Augenbrauen (Zelda hat genauso dunkle Brauen wie Ella, allerdings hilft sie mit Farbe nach). Erst, als ich zu der Szene vor der Kathedrale kam, runzelte sie plötzlich die Stirn.

»Er hat dich Hartgill genannt?«

»Ja. Es ist der Mädchenname meiner Mutter. Allerdings versteh ich nicht, woher er das weiß.«

Zelda stellte den Kaffee auf den Nachttisch. »Hol mir die Krücken, die der Doktor dagelassen hat!«, sagte sie zu Ella.

»Aber du sollst nicht aufstehen!«, protestierte Ella.

»Bring mir die Krücken!«

Ella zuckte die Schultern und gehorchte. Ihre Großmutter fluchte vor Schmerz, während sie den Flur hinunterhinkte. Zelda flucht mit Pflanzennamen: *Nesseldreck, Stinkwurz, giftiger Sumach.* Ihr Vorrat ist unerschöpflich. Sie humpelte geradewegs ins Wohnzimmer. In einem Schrank neben der Tür stehen Karteikästen mit Aufschriften wie *Weibliche Geister in Salisbury, Poltergeister von Wiltshire, Geistergeschichten aus Südwestengland* oder *Spukhäuser in Sussex.*

»Ella!«, befahl Zelda und wies auf einen Kasten, der im untersten Schrankfach stand. Ella warf mir einen besorgten Blick zu, während sie ihn herauszog. Mir gefiel die Aufschrift ebenso wenig: *Finstere Geschichten.*

Zelda ließ sich mit einem unterdrückten »Nesseldreck!« ins Sofa sinken und begann, mit gerunzelter Stirn in den Karten zu blättern. Schließlich zog sie eine heraus.

»Na bitte. Hartgill. Wusste ich's doch!«, murmelte sie. Dann stieß sie einen tiefen Seufzer aus.

»Was?«, fragte ich mit versagender Stimme.

»Himmel, Jon«, sagte Zelda. »Wieso haben deine Eltern dich ausgerechnet in Salisbury auf die Schule geschickt? Der Ärger war doch vorauszusehen! Kilmington ist nicht mal eine Stunde entfernt.«

»Kilmington?«, stammelte ich. »Was …«

»Ruf deine Mutter an«, unterbrach Zelda mich. »Sag ihr, sie soll dich auf eine andere Schule schicken, weit weg von Salisbury.«

Eine der Kröten auf dem Sofa quakte, als wollte sie Zeldas Vorschlag unterstützen, und ich spürte, wie mir die Knie so weich wie Krötenlaich wurden.

»Weit weg?«, stammelte ich. »Heißt das, man kann nichts gegen sie machen?«

Zelda schubste die zwei Kröten vom Sofa und gab Ella die Karteikarte. »Da. Lies es ihm vor. Ich denke, ich weiß, wer ihn jagt.«

Ella musterte die Karte mit gerunzelter Stirn.

»Lord Stourton«, las sie. *»1557 auf dem Marktplatz von Salisbury gehängt, seiner adligen Herkunft wegen mit einem seidenen Seil. Stourton ist nicht, wie oft behauptet, in der Kathedrale von Salisbury begraben, auch wenn über der Gruft, die man ihm fälschlich zuordnet, bisweilen eine schwebende Galgenschlinge zu sehen sein soll. Er wurde zusammen mit vier Knechten gehängt und spukt angeblich auf dem Friedhof von Kilmington.«*

Ella ließ die Karte sinken und Zelda sah mich fragend an.

»Klingt das nach ihnen?«

Vielleicht. Ich fasste mir unwillkürlich an den Hals. *Lord Stourton* … Es machte es nicht besser, dass mein Jäger plötzlich einen Namen hatte.

»Aber warum hat er es auf Jon abgesehen?«, fragte Ella.

»Lies weiter«, sagte Zelda.

Ella blickte erneut auf die Karte. *»Stourton und seine Knechte wurden gehängt für den Mord an …«,* sie stockte und sah mich an, *»… William Hartgill und seinem Sohn John.«*

Zelda nahm die Brille ab und begann, die Gläser mit dem Zipfel ihrer Bluse zu polieren. Das Blumenmuster darauf war fast so schlimm wie die Sonnenblumen im Flur. »Das erklärt wohl, dass sein Geist nicht sonderlich gut auf die Hartgills zu sprechen ist, oder?«, sagte sie. »Hartgill war Stourtons Verwalter. Er hat ihn mehrmals versucht umzubringen. Schlimme Geschichte. John Hartgill hat seinen Vater zweimal gerettet, aber schließlich hat Stourton sie in eine Falle gelockt und beide umgebracht. Es war ein furchtbarer Mord, selbst für die finsteren Zeiten damals.«

Hinter dem Sofa quakte es.

»Nesseldreck, da sitzt ja auch eine!«, stöhnte Zelda mit einem Blick über die Lehne. »Ich glaub, ich muss die kleinen Biester wohl wirklich loswerden. Vielleicht sollte ich sie einfach allesamt im Mühlentei ...«

»Zelda!«, unterbrach Ella sie streng. »Vergiss die Kröten! Was ist mit Jon? Irgendwie muss man diese Geister doch loswerden können! So, wie sie die kopflose Frau vertrieben haben, die so gern bei deinem Bruder in der Küche saß. Oder den Poltergeist in der Alten Mühle ...«

»Ach was, den hat niemand vertrieben. Es ist ihm dort einfach zu laut geworden!« Zelda setzte sich die Brille wieder auf die Nase. »Und Stourton ist ein anderes Kaliber von Geist. Die Geschichten über ihn sind die finstersten Geistergeschichten weit und breit!«

»Finster?«, flüsterte ich.

»Ja, aber auf die musst du nichts geben, Junge.« Zelda gab sich wirklich Mühe, beruhigend zu klingen. »Die Leute erzählen viel, wenn es dunkel wird. Das meiste ist nur dummes Geschwätz – auch wenn solche Geschichten für meine Touren Gold wert sind!«

»Was für Geschichten? Nun sag schon!« Ella konnte wirklich ziemlich streng klingen.

»Ich sag doch! Nichts als Geschwätz!«. Zelda rieb sich stöhnend den bandagierten Fuß. »Dieser tote Lord wird für ein paar seltsame Todesfälle in dieser Gegend verantwortlich gemacht, und die Leute biegen es so zurecht, dass die Opfer alle männliche Hartgills waren.«

»To-Todesfälle?«, stammelte ich. »Aber … aber Ella sagt, Geister können einem nicht wirklich was antun!«

»Ja, und das stimmt auch!«, sagte Zelda mit sehr entschiedener Stimme. »Ich sag doch … dummes Gerede! In Kilmington sagt man, dass Stourton eine Meute schwarzer Dämonenhunde hat, die seine Opfer zu Tode hetzt. Und hier in Salisbury kursiert die Geschichte, er hätte vor vielen Jahren einen Choristen aus einem Fenster eurer Schule gestoßen, nur weil er um zehn Ecken herum mit den Hartgills verwandt war. Alles Blödsinn! Geister sind eine lästige Sache, und manchmal können sie ziemlich Furcht einflößend sein, aber es ist, wie Ella sagt. Letztlich sind sie allesamt vollkommen harmlos!«

Harmlos? Ich hörte immer noch die heisere Stimme in meinem Kopf und spürte die Schwertklinge an meinem Nacken. Harmlos war nicht das Wort, das mir dazu einfiel.

Ella schien das, was Zelda sagte, ebenso wenig zu überzeugen. Sie starrte immer noch mit gerunzelter Stirn auf die Karte in ihrer

Hand. »Was, wenn die Geschichten wahr sind?«, fragte sie. »Was, wenn diese Geister Jon wirklich töten können?«

Zelda stemmte sich mit einem leisen Fluch vom Sofa hoch. Es klang wie »Distelmist«.

»Keine Sorge, mein Schatz. Sie werden ihm kein Haar krümmen, auch wenn sie sich noch so wild gebärden. Sie sind tot, und alles, was sie wollen, ist etwas Aufmerksamkeit. Trotzdem würde ich mir, wenn ich Jon wäre, eine andere Schule suchen, denn dieser Stourton soll ein ziemlich hartnäckiger Geist sein, und Jon wird vermutlich nicht viel Schlaf bekommen, wenn er in Salisbury bleibt. Komm!«, sagte sie. »Hilf mir zurück ins Schlafzimmer. Dieser Fuß wird mich in den Wahnsinn treiben, ich weiß es. Vielleicht sollte ich den Arzt bitten, ihn abzusägen. Machen sie das in Filmen nicht ständig so?«

Zelda hielt Ella auffordernd den Arm hin, aber Ella rührte sich nicht. Sie kann ziemlich störrisch sein.

»Was, wenn sie heute Nacht zurückkommen?«, fragte sie.

Zelda sah mich an.

»Ignorier sie einfach«, sagte sie. »Das hassen Geister. Und halt dich von offenen Fenstern fern. Man weiß ja nie.« Dann hielt sie ihrer Enkelin erneut den Arm hin. Aber Ella rührte sich immer noch nicht.

»Was ist mit dem Ritter?«, fragte sie. »Sagst du nicht immer, dass er nur darauf wartet, dass ihn jemand zu Hilfe ruft?«

Zelda ließ den Arm sinken. »Himmel, Ella! Das ist auch nur so eine Geschichte, die ich den Touristen erzähle! Du weißt, ich erzähl ihnen eine Menge Dinge, die nicht wahr sind.«

»Du hast sie auch meiner Mutter erzählt. Als Gutenachtgeschichte – und sie hat sie mir erzählt.«

»Nun, weil es eine gute Geschichte ist! Aber niemand hat ihn jemals zu Gesicht bekommen!«

»Weil niemand ihn je gerufen hat!«

Ich hatte keine Ahnung, von wem sie redeten. Ich wusste nur, dass ich immer noch Angst hatte. So abscheuliche Angst, dass mir übel war. Durch Zeldas Wohnzimmerfenster sah man den Mühlenteich. In seinem Wasser spiegelte sich der graue Nachmittagshimmel. Nur ein paar Stunden noch und es würde dunkel sein. Wo würden sie diesmal auf mich warten?

Ella und Zelda stritten immer noch.

»Na ja, dann …«, murmelte ich und wandte mich um. »Danke.«

Vor der Haustür saß eine Kröte. Ich fing sie und setzte sie zu den anderen in den Topf. Dann trat ich nach draußen und zog die Tür hinter mir zu.

Was nun?

Zurück zur Schule, was sonst, Jon, dachte ich. Vielleicht kannst du sogar behaupten, dass du die ganze Zeit auf dem Klo gewesen bist. Mrs Cunningham ist ziemlich leichtgläubig. Und dann rufst du deine Mutter an.

Ich legte mir zurecht, was ich sagen würde, während ich auf Zeldas Gartentor zuging: *»Mam, Ellas Großmutter sagt, du musst mich auf eine andere Schule schicken. Hast du schon mal was von Lord Stourton gehört? Nein, das hat nichts mit Heimweh zu tun, und auch nichts mit dem Vollbart.«*

»Verdammt«, murmelte ich, während ich Zeldas Gartentor hinter mir zuzog. »Sie wird mir kein Wort glauben.«

Ich bog in den Weg ein, der über die Wiesen führt, als ich Schritte hinter mir hörte.

»Wo willst du hin?« Ella stellte sich mir in den Weg.

»Na, wohin schon?«, gab ich zurück. »Ich muss zur Schule! Vielleicht hält der Ärger sich in Grenzen, wenn ich vor dem Abendbrot zurück bin!«

Ella schüttelte den Kopf. »Unsinn. Wir gehen zur Kathedrale.«

»Zur Kathedrale? Wozu?«

Sie griff zur Antwort nur nach meinem Arm und zog mich mit sich.

Wie schon gesagt. Ella macht nie überflüssige Worte.

6

Ein längst vergessener Schwur

Die alten Häuser verschwammen schon in der Dämmerung, als Ella und ich den Domhof wieder betraten. Vor der Kathedrale waren kaum noch Touristen zu sehen, obwohl die Stadtmauertore erst um zehn geschlossen werden, und ich hatte nicht zum ersten Mal das Gefühl, dass die Zeit den Domhof von Salisbury vergessen hatte. Nur die parkenden Autos verrieten, dass wir im 21. Jahrhundert waren.

Die Kathedrale reckte sich in den Himmel, als wollte ihr Turm die dunklen Abendwolken berühren, und ihre Mauern schienen erneut Schutz vor allem Schrecken in der Welt zu versprechen. Aber wie? Ich konnte mich nicht für den Rest des Schuljahres in einer Kirche verstecken.

»Ella, was genau machen wir hier?«, fragte ich, während ich ihr über die weite Rasenfläche folgte, auf der Stourton mich eingeholt und ich vor Bonapart auf den Knien gelegen hatte. Zu unserer

Linken sah man durch die Bäume die Mauern der Schule. Mrs Cunningham hatte mich mittlerweile bestimmt schon beim Direktor gemeldet.

»Wir besuchen jemanden, der dir helfen kann«, sagte Ella. »Oder hast du es dir überlegt und willst doch lieber deine Mutter anrufen?«

Aus ihrem Mund klang diese Lösung noch peinlicher.

»Nein«, gab ich barsch zurück. »Nein. Natürlich nicht.« Und beschloss, fürs Erste keine weiteren Fragen zu stellen.

Wir nahmen den Eingang in den Kreuzgängen, den auch die meisten Touristen benutzen. Die Steinbögen warfen lange Schatten, und auf dem Rasen zwischen ihnen fing die riesige Zeder, die dort seit Jahrzehnten wächst, die Dunkelheit in ihren Zweigen.

Bei allen Heiligen, die von den Dächern der Kathedrale auf uns herabstarrten – wen wollte Ella hier treffen? Glaubte sie etwa, dass einer der Priester Stourton verscheuchen konnte? Oder einer der steinernen Engel? Ich sah mich zwischen den Säulen nach dem toten Steinmetzlehrling um, aber Ella winkte mich ungeduldig zum Eingang der Kathedrale.

Hinter den schweren Türen war es so kühl, dass ich fröstelte, und das Dämmerlicht zwischen den grauen Mauern legte sich wie ein schützender Mantel um meine Schultern, auch wenn mir bei ihrem Anblick die Graue Frau einfiel, von der Ella erzählt hatte.

Ella zahlte den Eintritt für uns und zog mich den Mittelgang hinunter, der auf den Altar zuführt. In dem Chorgestühl dahinter sang Angus fast jeden Tag die Hymnen, die er im Schlaf vor sich hin summte. Um uns herum wuchsen die Säulen wie Bäume in die Höhe, und über unseren Köpfen verzweigten sich die Streben, die die Decke hielten, als hätten die Säulen steinerne Äste getrieben. Die riesige Kirche war fast leer. Kaum ein Dutzend Besucher verlor sich in ihren Gängen, aber als unsere Schritte durch die Stille hallten, glaubte ich für einen Moment, die Schritte all der anderen zu hören, die seit Jahrhunderten hierherkamen, um für irgendetwas um Hilfe zu bitten.

Ella blieb stehen. Vor uns krümmten sich die vier Säulen, die das Turmdach der Kathedrale stützen. Sie biegen sich tatsächlich, weil irgendein Bischof sich vor Hunderten von Jahren in den Kopf gesetzt hat, dass die Kathedrale von Salisbury die erste Kirche mit einem spitzen Dach sein sollte. Die zusätzliche Last hat den Turm fast zum Einsturz gebracht. Aber Ella zog mich nicht zwischen die gekrümmten Säulen, sondern zu einem Sarkophag, der rechts von uns vor den Pfeilern stand. Das letzte Tageslicht fiel durch die hohen Kirchenfenster und zeichnete seinen Schatten auf die ausgetretenen Steinfliesen.

»Das ist er!«, flüsterte Ella.

Das war wer?

Auf dem Sarkophag schlief ein Ritter. Er lag ausgestreckt auf dem steinernen Sarg, das Schwert in den behandschuhten Händen, das Gesicht zur Seite gekehrt. Es war unter dem Helm, den er trug, kaum zu sehen. Eine Tafel neben dem Sarg erklärte, dass sein Abbild früher bemalt gewesen war, aber die Zeit hatte die Farben ausgebleicht und seine steinernen Glieder fahlweiß wie die Knochen eines Toten gefärbt.

»Sein Name ist William Longspee«, flüsterte Ella. »Er war der uneheliche Sohn von Heinrich dem Zweiten und der Bruder von Richard Löwenherz. Er kann dich vor Stourton schützen. Du musst ihn nur rufen!«

Ich starrte hinunter auf das gemeißelte Gesicht.

Dafür hatte sie mich hergebracht? Enttäuschung schnürte mir die Kehle zu. Gut, ja. Die letzten zwei Nächte hatten mich für alle Zeit davon überzeugt, dass die Toten sehr lebendig sein konnten. Aber das hier war nichts als eine Figur aus Stein.

»Für seinen Sohn gibt es auch ein Denkmal in der Kathedrale«, raunte Ella. »Aber er liegt in Israel begraben, weil er in den Kreuzzügen umgekommen ist. Sie haben ihn in Stücke gehackt, sagt Zelda. Ziemlich abscheulich.«

Draußen starb der Tag und die Kathedrale füllte sich mit Dunkelheit. Wahrscheinlich warteten Stourton und seine Knechte schon auf mich.

»Verdammt, Ella!«, zischte ich. »Ist das der Ritter, nach dem du Zelda gefragt hast?«

»Ja. Ich bin sicher, dass die Geschichten über ihn wahr sind. Es hat ihn nur lange niemand mehr gerufen. Und man muss wirklich Hilfe brauchen, sonst kommt er nicht!«

Zwei Frauen blieben neben uns stehen und begannen, die bildhauerischen Qualitäten von Longspees Grabmal zu diskutieren. Aber Ella blickte sie so finster an, dass sie schließlich unbehaglich schwiegen und weitergingen.

»Ich hab einen Aufsatz über ihn geschrieben«, flüsterte Ella, sobald wir wieder allein waren. »Er soll einen Eid geschworen haben, als er aus dem Krieg zurückkehrte!« Sie senkte die Stimme: »*Ich, William Longspee, werde keinen Frieden finden, bis ich meine Seele reingewaschen habe von allen schandhaften Taten, indem ich den Unschuldigen gegen die Grausamen beistehe und den Schwachen gegen die Starken. Dies schwöre ich, so wahr mir Gott helfe.* Aber dann ist er plötzlich gestorben, und angeblich versucht er immer noch, seinen Eid zu erfüllen.«

Ella sah mich auffordernd an.

»Was?«, flüsterte ich. »Das ist total verrückt! Nicht alle Toten kommen zurück, Ella!«

Zumindest hoffte ich das.

Ella verdrehte die Augen und blickte sich um, als flehte sie sämtliche Heilige, die uns umgaben, um Hilfe an.

»Hast du etwa eine bessere Idee?«, flüsterte sie. »Wer kann dich vor diesen Geistern besser beschützen als ein anderer Geist?«

»Das ist keine Idee!«, zischte ich zurück. »Das … das ist Wahnsinn!«

Aber Ella beachtete mich nicht. Sie hatte sich umgewandt. Mehr und mehr Leute kamen den Mittelgang herunter. Natürlich. Die Choristen würden bald die Abendmesse singen und Angus würde auch dabei sein. Was, wenn er den Popplewells erzählte, dass er mich in der Kathedrale gesehen hatte?

Ich griff nach Ellas Arm und zog sie hastig zwischen die Säulen hinter Longspees Sarg.

»Dein Ritter ist vermutlich nicht mal hier begraben!«, raunte ich ihr zu, während ich mich gegen den grauen Stein lehnte. »Oder hat Bonapart euch etwa nicht erzählt, dass sie die Gräber in der

Kathedrale ständig verlegt haben? Manchmal haben sie sogar die Knochen verloren oder sie vertauscht!«

Da. Die Choristen tauchten in ihren grünen Gewändern zwischen den Stuhlreihen auf. Angus war einer der ersten und hatte wie immer die Finger in den hohen weißen Kragen gesteckt. Er stöhnte ständig darüber, wie sehr das steife Ding ihm den Hals abschnürte.

»Nun, in diesem Sarg liegt auf jeden Fall William Longspee!«, zischte Ella, während die Choristen, gefolgt von den Priestern, an uns vorbei auf den Altar zuschritten. »Und weißt du, warum? Weil sie, als sie das Grabmal hierher verlegt haben, eine tote Ratte in seinem Schädel gefunden haben. Du kannst sie im Museum von Salisbury anschauen!«

Ich unterdrückte einen Anflug von Übelkeit und gab mir alle Mühe, unbeeindruckt dreinzublicken. »Und?«

Ella seufzte über so viel Begriffsstutzigkeit. »Longspee ist so plötzlich gestorben, dass alle glaubten, er wäre vergiftet worden. Aber man konnte es nicht beweisen. Bis sie die Ratte fanden! Sie war voller Arsen!«

Die Geschichte schien ihr zu gefallen. Mir gefiel sie nicht. Mörder und Ermordete. Was war mit meinem Leben passiert? Für einen Moment malte ich mir aus, den Vollbart so ausgebleicht und versteinert auf seinem Sarkophag liegen zu sehen. Aber ein Blick auf die dunklen Kirchenfenster erinnerte mich daran, dass ich zurzeit wirklich andere Sorgen hatte.

Hinter dem Altar zündeten die Messdiener die Kerzen an, und draußen suchte Stourton vermutlich schon das Fenster aus, durch das er mich stoßen würde. Während ich mit einem Mädchen, das ich kaum kannte, über tote Ritter und vergiftete Ratten redete.

»Du *musst* ihn rufen!«, flüsterte Ella. »Sobald wir allein sind!«

Die Choristen begannen zu singen. Ihre Stimmen hallten in der dunklen Kirche wider, als hätte sie selbst zu singen begonnen.

»Allein? Und wie soll das gehen?«, flüsterte ich zurück. »Die Kathedrale wird nach der Abendmesse geschlossen!«

»Und? Wir lassen uns einschließen.«

»Einschließen?« Es wurde immer schlimmer.

Ella griff wortlos nach meiner Hand. Sie zog mich den Nordgang hinunter. Hinter mir hörte ich Angus das Solo anstimmen, das er morgens vor dem Waschraumspiegel geübt hatte. Ella aber blieb vor einer Tür aus dunklem Holz stehen, die mit Eisennägeln beschlagen war. Sie drückte die Klinke herunter, warf einen raschen Blick nach links und rechts und öffnete sie. Der Raum dahinter war kaum größer als ein Schrank. Ella schubste mich hinein und zog die Tür hinter uns zu.

»Perfekt, oder?«, hörte ich sie flüstern. »Ein Chorist hat sie mir gezeigt.«

»Wozu?« Es machte mich nervös, mit ihr auf so engem Raum in der Dunkelheit zu stecken.

»Er wollte mich küssen.« Der Abscheu in Ellas Stimme war nicht zu überhören. »Aber zum Glück bin ich stärker als sie alle.«

Ich war froh, dass sie in der Dunkelheit nicht sehen konnte, wie rot ich wurde. Ich hatte mir gerade ausgemalt, wie es sich wohl anfühlte, ihr Haar anzufassen.

Der Gesang der Choristen war selbst durch die Tür noch zu hören. Angus behauptete, dass er mit seiner Stimme ein Glas zerspringen lassen konnte, aber den Beweis war er Stu und mir bisher schuldig geblieben.

»Hört sich schön an, oder?«, flüsterte Ella.

Ich war nicht sicher. Seit der Vollbart in mein Leben gestolpert war, war mir nach sehr, sehr lauter Musik und nicht nach *Friede auf Erden*. Umso mehr erstaunte mich, dass Angus, der sich ständig prügelte und bei jedem Rugbyspiel die Beherrschung verlor, solche Engelsharmonien von sich gab und daran offenbar auch noch Spaß hatte. »Wie kannst du nur in dieser idiotischen Kluft herumlaufen?«, hatte ich ihn gefragt, als ich ihn zum ersten Mal seine Tracht anlegen sah (ich war selbst gerade beim Aufnahmetest für die Choristen durchgefallen). »Whitcroft, du hast keine Ahnung!«, hatte Angus nur mit einem mitleidigen Lächeln geantwortet – und sich ein paar Hundehaare von der grünen Kluft gewischt. Vermutlich hatte er recht und leider traf das nicht nur auf Choristentrachten zu. Von Mädchen verstand ich definitiv nichts, und so brachte mich das Warten mit Ella in der dunklen Kammer fast ebenso aus dem Gleichgewicht wie Stourtons hohles Flüstern.

»Ja. Ja, es klingt wirklich nicht schlecht«, murmelte ich – und zog hastig den Ellbogen ein, als ich Ellas Arm streifte. Was tust du hier, Jon Whitcroft?, dachte ich. Willst du dich allen Ernstes zum Narren machen, indem du versuchst, einen toten Ritter aus dem Schlaf zu wecken?

Die Abendmesse dauerte kaum eine Stunde, aber mir schien es, als wäre ein Jahr vergangen, als der Gesang und die Orgel endlich verstummten und stattdessen der Klang von Schritten und gedämpftem Gelächter zu uns hereindrang.

Sie gingen.

Wir hörten, wie die Türen verschlossen wurden, hörten die einsamen Schritte des Küsters, der das Licht ausmachte, und dann nichts als Stille.

Wir waren allein in der Kathedrale.

Allein mit den Toten.

7
Der tote Ritter

Als Ella die Tür öffnete, roch die Luft nach geschmolzenem Kerzenwachs, und der Gesang der Choristen schien immer noch zwischen den Säulen zu hängen.

Die Dunkelheit ließ die Kathedrale nur noch größer erscheinen. Es war, als würde die Nacht sie erst wirklich zum Leben erwecken, zu ihrem ganz eigenen Leben, und es hätte mich nicht überrascht, wenn einer der Heiligen von seinem Podest gestiegen und uns gefragt hätte, was in Teufels Namen (na ja, wohl eher: in Gottes Namen) wir hier um diese Zeit machten.

Ja, was schon? Zum Narren machen wir uns!, dachte ich, als Ella mir eine der Taschenlampen in die Hand drückte, die sie vorsorglich mitgebracht hatte. Sie hatte offenbar immer noch keine Zweifel an ihrem Plan.

»Was meinst du?«, fragte sie, während sie den Strahl ihrer Taschenlampe an den Säulen entlangwandern ließ. »Sollen wir bis

Mitternacht warten? Zelda sagt, die meisten Geister erscheinen immer noch am liebsten um die Zeit.«

»Mitternacht?« Ich sah auf die Uhr.

Das waren noch fast vier Stunden!

»Ach was!«, sagte Ella. »Lass uns ihn jetzt rufen. Komm.«

Denk an Stourton, Jon!, dachte ich, während ich ihr nachstolperte. Das hier kann kaum schlimmer werden!

Draußen hatte sich offenbar der Mond einen Weg durch die Wolken gebahnt. Sein Licht fiel auf Longspees Abbild und färbte den Stein weiß wie Schnee. Er sah tatsächlich aus, als ob er schlief. Die behandschuhte Hand lag auf dem Knauf seines Schwertes, als hätte er es eben erst aus der Hand gelegt.

Ella nickte mir aufmunternd zu und trat ein paar Schritte zurück.

Komm schon, Jon. Sie verzeiht dir nie, wenn du es nicht wenigstens versuchst.

Ich trat so dicht an den Sarkophag heran, dass ich nur die Hand hätte heben müssen, um Longspees Handschuh zu berühren.

»Jon!«, flüsterte Ella. »Er ist ein Ritter! Du musst dich hinknien!«

Hinknien?

Auch das noch. Ich ließ mich auf die Knie sinken.

»Mein … ehm … mein Name ist Jon Whitcroft.«

Meine Stimme schien sich in der Stille zu verlieren, und so sehr ich mir auch Mühe gab, sie tiefer klingen zu lassen – sie blieb hell wie die eines Elfjährigen.

»Ich … ich bin hier, um dich um Hilfe zu bitten. Jemand

will mich umbringen. Und weil er genauso tot ist wie du, dachte Ella …«

Ich verstummte. Nein. Es war einfach zu albern. Die Steinfliesen waren kalt wie Schnee, und der Mond färbte Longspees Gesicht immer noch leichenweiß, als wollte er mich daran erinnern, dass ich vor einem toten Mann kniete. Ich wollte nach Hause und alles vergessen, was in den letzten Monaten passiert war, einschließlich Stourton und dem Vollbart.

Aber als ich mich aufrichtete, hörte ich Ella wieder hinter mir flüstern: »Was machst du? Bleib, wo du bist! Weißt du denn gar nichts über Ritter? Die haben stundenlang so auf den Knien gelegen!«

Ja. Davon hatte ich auch schon gehört.

Ich roch die Herbstblumen, die vor dem Altar standen und dachte an die vier Mörder mit ihren gebrochenen Hälsen, an William Hartgill und seinen Sohn und daran, dass ich wirklich keinen neuen Vater wollte.

»Bitte!«, hörte ich mich flüstern. Die Worte kamen wie von selbst. »Bitte, William Longspee. Hilf mir.«

Und plötzlich hörte ich Schritte. Klirrende Schritte, wie von Eisenschuhen. Ich drehte mich um.

Und da stand er.

Wenn ich die Augen schließe, sehe ich ihn immer noch so deutlich wie in jener Nacht. Es wird immer so sein.

Die Tunika, die sein Kettenhemd bedeckte, zeigte die drei goldenen Löwen von Salisbury auf blauem Grund, und im Gegensatz zu seinem steinernen Abbild trug er keinen Helm. Sein Gesicht

Mit elf weiß man ziemlich genau, was Erwachsene hören wollen, und ich gebe zu, ich war stolz, als meine Geschichte mit einem mitfühlenden Schulterklopfen (vom Schuldirektor) und zwei tränenreichen Umarmungen (von Mrs Cunningham und Alma Popplewell) akzeptiert wurde. Die Wahrheit hätte bestimmt nicht annähernd diese Wirkung gehabt. Ein Elfjähriger, der versucht, den Liebhaber seiner Mutter durch Gebete aus der Welt zu schaffen, ist weit weniger beunruhigend als das Erscheinen eines toten Ritters.

Meine einzige Strafe waren ein Aufsatz über die Wichtigkeit von Regeln und deren Befolgung sowie die Auflage, das Wochenende ohne Ausgang und unter der Aufsicht der Popplewells zu verbringen.

Ella allerdings war alles andere als begeistert, als sie davon hörte. Schließlich wollte sie dabei sein, falls Longspee Stourton zur Hölle schickte. Sie hatte Zelda schon überredet, uns beide in ihrem Haus übernachten zu lassen, in der Hoffnung, meine Verfolger würden so vielleicht dort auftauchen. Aber mein Hausarrest machte diesen schönen Plan zunichte.

Ella hatte keinen Hausarrest bekommen. Zelda gab sich mit der Erklärung zufrieden, dass mich ihre Enkelin in so bedauernswertem Zustand in der Kathedrale gefunden hatte, dass Ella Stunden darauf verwandt hatte, mich zu beruhigen und dabei aus Versehen eingeschlossen worden war. Ja, ich weiß, Zelda kann ziemlich leichtgläubig sein.

Von Longspee erzählte Ella ihr kein Wort.

»Wozu?«, sagte sie, als ich sie danach fragte. »Zelda würde ihn nur treffen wollen, und dann würde sie ihm all diese Fragen über sein Leben und seine Frau stellen! Sie ist manchmal schrecklich peinlich!«

Stu und Angus waren übers Wochenende zu ihren Familien gefahren, und so saß ich den ganzen Samstag allein in unserem Zimmer, starrte den Abdruck in meiner Hand an und wusste nicht, ob ich den Abend fürchten oder herbeisehnen sollte.

Ella kam gegen vier zu Besuch. Sie ärgerte sich immer noch über meinen Hausarrest.

»Na, danke schön!«, sagte sie, als wir unten am Fluss auf der Gartenmauer saßen und die Enten, die vorbeitrieben, mit trockenem Toast fütterten. »Also wirst du all den Spaß allein haben.«

»Spaß?«, fragte ich. »Definier Spaß. Longspee muss es immer noch mit vier Geistern aufnehmen. Vielleicht bin ich so tot wie er, wenn wir uns das nächste Mal sehen!«

Ella kommentierte das nur mit einem Jon-Whitcroft-für-wie-dumm-hältst-du-mich-Blick. Ja, ich gebe zu. Ich war auch ziemlich optimistisch, was William Longspees Beschützer-Qualitäten anging.

»Ich brauch noch eine gute Erklärung, warum ich Freitag nach der Schule verschwunden bin«, sagte ich, um vom Thema abzulenken. »Die mit dem Beten in der Kathedrale war perfekt für die Erwachsenen. Aber wenn sich das in der Schule rumspricht, ist mein Ruf für Monate ruiniert.«

»Das ist leicht«, sagte Ella, während sie die Brötchen auspackte, die Zelda ihr mitgegeben hatte. (Zelda hatte ihnen Augen aus

Zwiebeln aufgesteckt, damit sie wie Kröten aussahen). »Erzähl ihnen einfach die Wahrheit. Lass nur den Teil mit Longspee weg. Sag, ich hätte dir die Kammer hinter der Tür gezeigt und dass wir zu spät gemerkt hätten, dass sie uns eingeschlossen haben. Erzähl meinetwegen, dass wir uns geküsst haben. So was wollen Jungs doch zu gern hören.«

Natürlich wurde ich so rot wie die Salami, mit der Zelda die Brote belegt hatte, und murmelte, dass mir das bestimmt keiner glauben würde.

»Natürlich werden sie es glauben«, sagte Ella. »Jungs sind so dumm. Mit Ausnahmen«, setzte sie gnädigerweise hinzu.

Es war zur Abwechslung ein sonniger Tag, was wirklich guttat nach all dem Regen, und wir saßen auf der alten Mauer, blickten auf den Fluss, aßen Zeldas Krötenbrötchen und schwiegen. Ella glaubte bestimmt, dass ich an Longspee und Stourton dachte, aber ich malte mir aus, wie Stu dreinblicken würde, wenn ich behauptete, Ella Littlejohn geküsst zu haben.

In dem Park auf der anderen Seite des Flusses spielten ein paar Jungen Fußball. Zwei Schwäne trieben vorbei und auf einer Bank saß ein alter Mann und teilte sich ein Eiscremehörnchen mit einem ziemlich fetten Hund. Es war kein schlechter Nachmittag, und ich erinnere mich, dass ich dachte, dass Salisbury vielleicht doch kein so übler Ort war. Ich strich über den Löwenabdruck in meiner Hand. Die Haut fühlte sich immer noch wie erfroren an.

»Ella?«, fragte ich. »Du glaubst doch auch, dass er wirklich kommen wird, oder?«

Ella leckte sich den Ketchup von den Fingern.

»Natürlich«, sagte sie.

Natürlich.

Ich wischte mir eine Ameise von der Hose.

»Longspees Frau … die andere Ella … was weißt du über sie?«

»Ziemlich viel.« Ella hielt das Gesicht in die Sonne. »Meine Mutter ist besessen von ihr.« Sie verstellte die Stimme: »Ella, stell dir vor. Sie war der erste weibliche Sheriff von Wiltshire! Sie war dabei, als die Magna Carta unterschrieben wurde!«

Der Wind blies ihr das dunkle Haar ins Gesicht.

»Löwenherz hat sie mit Longspee verheiratet, als sie noch ganz jung war. Mam sagt, sie wären sehr glücklich gewesen, obwohl er viel älter war als sie. Und dass sie acht Kinder gehabt hätten. Aber dann ist Williams Schiff untergegangen, und weil Ella Gräfin von Salisbury war, wollten sie sie zwingen, wieder zu heiraten. Sie sagte Nein. William ist nicht tot. Ihr werdet schon sehen. Er wird wiederkommen. Und sie hatte recht. Doch als er endlich zurück war, ist er ganz plötzlich gestorben. Und Ella hat sein Herz genommen und es in Lacock begraben. So hat sie es später auch mit dem Herzen ihres jüngsten Sohnes gemacht. Und dann ist sie irgendwann Nonne geworden.«

Die Sonne verschwand hinter den Bäumen und ich schlug fröstelnd den Jackenkragen hoch. Der Garten hinter uns füllte sich mit Schatten.

»Na, kein Wunder, dass er so traurig aussieht«, murmelte ich.

Ella scheuchte eine Wespe von ihrem Knie. »Zelda sagt, alle Geister haben traurige Geschichten, und dass sie sie einfach nicht zu Ende bringen können.«

Der alte Mann stand auf und ging mit seinem Hund nach Hause. Die Schwäne trieben auf dem Fluss davon, und die Jungen, die Fußball gespielt hatten, waren verschwunden. Ella und ich schienen die einzigen Lebewesen auf der Welt zu sein.

»Ich muss los«, sagte Ella. »Der Doktor hat gesagt, ich soll darauf achten, dass Zelda nicht zu viel herumhinkt. Als ob sie auf mich hören würde!« Sie legte mir die Hand auf den Arm. »Halt dich heute Abend von offenen Fenstern fern!«

Ich konnte mir schwer vorstellen, dass geschlossene Fenster Geister aufhalten konnten, aber ich nickte.

»Ruf mich an«, sagte Ella. »Hier. Das ist Zeldas Nummer und das ist die meiner Eltern. Sie kommen morgen nach Hause.« Diesmal schrieb sie nicht auf meinen Arm, sondern auf ein Stück Papier. Sie drückte es mir in die Hand und rutschte von der Mauer.

»Jon …«

Ellas Stimme war plötzlich kaum mehr als ein Flüstern.

Ich schob den Zettel in die Hosentasche.

»Was?« Ich drehte mich um.

Zwei Hunde standen zwischen Alma Popplewells Rosenbeeten. Die Popplewells hatten keine Hunde, geschweige denn zwei, die so schwarz waren wie ein Loch in der Nacht.

Ella biss sich auf die Lippen. Es war das erste Mal, dass ich Angst auf ihrem Gesicht sah.

»Ich HASSE Hunde!«, flüsterte sie.

Ich fand nicht, dass die zwei wie wirkliche Hunde aussahen, doch das behielt ich für mich. Ihr Fell sträubte sich wie das echter Hunde, aber gewöhnlich hatten die keine roten Augen und waren so groß wie Kälber. Was immer sie waren, sie fletschten die Zähne, als hätten sie verstanden, was Ella gesagt hatte.

In Kilmington sagt man, dass Stourton eine Meute schwarzer Dämonenhunde hat, die seine Opfer zu Tode hetzt.

Ich war sicher, dass Ella sich auch an Zeldas Geschichte erinnerte. Verdammt!, dachte ich, während ich mir hastig zwei der Holzscheite griff, die Edward Popplewell als Feuerholz vor der Mauer gestapelt hatte. Und es ist noch nicht mal dunkel!

»Hier!«, flüsterte ich und hielt Ella eines der Holzscheite hin. »Mein Großvater hatte einen ziemlich fiesen Schäferhund. Ramm ihnen das Scheit ins Maul, wenn sie angreifen.«

Ella warf mir einen entsetzten Blick zu, aber den Scheit nahm sie trotzdem. Ich sah ihr an, dass sie inzwischen ebenso wie ich der Meinung war, dass wir es mit mehr als einem Paar streunender Hunde zu tun hatten.

»Worauf wartest du noch?«, flüsterte sie. »Ruf Longspee!«

Die Hunde stießen ein Knurren aus, das uns beide zusammenfahren ließ, und dort, wo sie standen, stieg schwärzlicher Nebel aus der immer noch regenfeuchten Erde. Er trieb in schmutzigen Schleiern durch den Garten und wurde dichter und dichter, bis alles in ihm verschwand: die Bäume, das Haus, die Gartenmauern. Ganz Salisbury löste sich auf in Dunkelheit, und aus den Schatten lösten sich die Pferde, die ich inzwischen so gut kannte. Diesmal waren sie alle gekommen: Lord Stourton und seine mörderischen Knechte, auf der Jagd nach einem weiteren Hartgill. Drei kamen von links, und der vierte kam mit seinem Herrn von dort, wo eben noch das Haus der Popplewells zu sehen gewesen war.

»Jon!«, zischte Ella. »Worauf wartest du?«

Ja, worauf? Fünf, flüsterte es in mir. Fünf. Was soll ein Mann ganz allein gegen fünf Mörder ausrichten? Aber ich schloss die Faust trotzdem über dem Löwenmal, während die Dämonenhunde hechelnd zu ihrem Herrn aufsahen, als bettelten sie um den Befehl, uns zu hetzen.

Bitte, William Longspee. Hilf mir.

Er erschien, sobald sich meine Finger auf das Mal pressten. Sein Kettenhemd schimmerte so hell, dass die Dunkelheit plötzlich mit Licht getränkt schien. Die Geisterpferde scheuten zurück, und die schwarzen Hunde kauerten sich ins Gras, während Longspee sein Schwert zog und sich zwischen uns und die Reiter stellte.

»Sieh an, fünf Mörder«, sagte er, ohne die Stimme zu heben. »Ist euch das Wild ausgegangen, dass ihr nun Kinder jagt?«

Die blassen Pferde schnaubten und die Dunkelheit umgab sie wie giftiger Rauch.

»Geh uns aus dem Weg.« Stourtons Stimme klang so heiser, als drückte ihm die Schlinge, die ihm um den Hals hing, immer noch die Kehle zu. »Hast du dich in der Zeit verirrt? Die Tage der Ritter waren schon vorbei, als ich noch Fleisch und Blut auf den Knochen hatte.«

»Und was ist mit deinen Tagen?«, gab Longspee zurück. »Wie man sieht, hat ein Seidenstrick sie beendet. Kein sehr rühmlicher Tod!«

Die schwarzen Hunde knurrten, als fühlten sie den Zorn ihres Herrn, und Stourton bleckte die Zähne, als wäre er einer von ihnen. Ich spürte, wie Ella neben mir schauderte. Ich war froh, dass sie neben mir stand, doch zugleich wünschte ich mir, sie wäre weit fort – in Zeldas Haus, wo die einzige Gefahr, die einem drohte, die war, über eine Kröte zu stolpern.

»Ah! Jetzt weiß ich, wer du bist!«, stieß Stourton hervor, während seine Knechte ihre Pferde an seine Seite trieben. »Du bist der Königsbastard, den sie in der Kathedrale begraben haben. Was tust du noch hier? Ich dachte, du wärst geradewegs zum Himmel gefahren, bei all dem Edelmut, den man dir zuschreibt!«

»Und warum bist du noch nicht in der Hölle?« Longspee ließ Stourtons Knechte nicht aus den Augen. »Man sollte annehmen, der Weg ist leicht zu finden für einen feigen Mörder wie dich. Oder wollte dich selbst der Teufel nicht?«

Stourton richtete sich im Sattel auf. Sein blutleeres Gesicht leuchtete wie eine giftige Blüte, und die Dunkelheit liebkoste ihn mit schwarzen Händen, als wäre er ihr Prinz.

»Ich werde wie ein König in die Hölle einziehen«, knurrte er. »Aber erst, wenn es keine Hartgills mehr unter der Sonne gibt.«

Die Hand, die er hob, war knochig wie die des Todes selbst, und als seine Knechte die Schwerter zogen, triefte wieder Blut von den Klingen. Ich glaubte, Alma Popplewell irgendwo in der Ferne meinen Namen rufen zu hören, aber die Welt, in der es Hausmütter und andere harmlose Wesen gab, schien weiter entfernt als der Mond. Longspee machte einen Schritt zurück, und ich sah, wie seine Hand sich fester um den Schwertknauf schloss. Sie waren fünf! Fünf gegen einen! Ich hatte plötzlich solche Angst um ihn, dass ich losstolpern und mich an seine Seite stellen wollte. Aber Ella hielt mich zurück.

»Nein, Jon!«, flüsterte sie.

Im selben Moment trieb Stourton sein Pferd auf Longspee zu.

Ich schrie auf, als er mit dem Schwert ausholte, aber Longspee war schneller. Er wich der Klinge aus und stieß dem Gehängten das Schwert in die Seite. Stourtons Pferd bäumte sich auf, als sein Herr fiel. Er stürzte in das feuchte Gras, und ich sah ein schwarzes Herz, das ihm wie eine Kohle hinter den Rippen glühte. Mit einem heiseren Fluch kam er wieder auf die Füße. Blut rann ihm über die schimmelweißen Kleider, es war so geisterbleich wie seine Haut. Er scheuchte seine Männer mit einem wütenden Bellen zurück, während die Dunkelheit sich um ihn ballte wie ein Mantel. Die schwarzen Hunde duckten sich mit gesträubtem Fell an seiner Seite und entblößten die Zähne.

William blickte sich zu uns um. Ich war nicht sicher, was ich auf seinem Gesicht sah. Gab es Angst nach dem Tod? Wenn ja, dann war es Angst um uns.

Stourton schwankte immer noch, aber er klaubte sein Schwert aus dem Gras, und hinter ihm warteten seine Knechte.

»Noch einmal. Geh mir aus dem Weg, du Narr!«, fuhr er Longspee an. »Der Junge gehört mir! Er gehört mir, seit Hartgillblut mir den Strick um den Hals gelegt hat.«

Die Abendsonne wärmte mir den Nacken, aber sie gehörte zu einer anderen Welt. Ihre Strahlen erstickten in dem Nebel, der über dem Garten hing.

»Verschwinde«, sagte Longspee mit ruhiger Stimme. »Verschwinde und komm nicht zurück.«

Stourton antwortete ihm mit einem höhnischen Lachen. Es

klang wie das Bellen eines Hundes. Sein Mund klaffte auf, als hätte seine pergamentblasse Haut einen Riss bekommen.

»Zerreißt ihn!«, rief er – und die Hunde sprangen mit gebleckten Zähnen auf Longspee zu. Dem ersten schlug er den Kopf ab, bevor er die Zähne in seinen Körper schlagen konnte. Der zweite verbiss sich in seinen Arm, aber Longspee stieß ihm das Schwert in den Nacken, und die Bestien lösten sich in dem schmutzigen Nebel auf. Ihr Heulen zerriss mir die Ohren, und ehe ich mich versah, riss Ella mich zu Boden und schlang schützend die Arme um mich. Schwerter klirrten über uns gegeneinander. Kälte vereiste mir die Haut.

Fünf gegen einen.

Ich sah ihre Klingen an Longspees Kettenhemd abgleiten, seine Schulter durchbohren, seinen Schenkel aufschlitzen. Ich sah Blut – Wunden, die sich wieder schlossen, als hätte das Licht, das Longspee umgab, sie versiegelt. Zwei von Stourtons Knechten fielen, als Longspee ihnen das Schwert dorthin stieß, wo einst ihr Herz geschlagen hatte, und Dunkelheit quoll ihnen aus der Brust, nahm Menschenform an und löste sich schreiend auf. Dem dritten spaltete der Ritter den Kopf. Es war das Hamstergesicht, das unter meinem Fenster gewartet hatte. Sein Körper zerfiel wie Asche, in die der Wind fuhr, und Stourtons Gesicht stand in Flammen vor Hass, als der sterbende Tag den Weg zurück in den Garten fand.

Aber Longspee atmete schwer. Als der letzte Knecht ihn angriff, taumelte er, und sein linker Arm hing schlaff herab.

Ich riss mich von Ella los, um ihm zu Hilfe zu kommen. Doch plötzlich stand Stourton über mir. Ich stolperte, als ich zurückwich. Ella kam mir zu Hilfe, das Holzscheit in der Hand, das ich ihr zum

Schutz gegen die Hunde in die Hand gedrückt hatte – tapfere Ella, aber was kann ein Holzscheit gegen einen unsterblichen Mörder ausrichten? Stourton blies ihr seinen faulen Atem ins Gesicht und sie fiel ins Gras. Ich hörte mich aufschreien und fühlte, wie meine Fäuste sich ballten, um ihm das grausame Gesicht zu zerschlagen. Aber Stourton lächelte nur höhnisch auf mich herab und hob das Schwert.

Das war's, Jon Whitcroft, schoss es mir durch den Kopf. Wie werden sie sich deinen Tod zusammenreimen? Dass du dich vor lauter Heimweh im Fluss ertränkt hast? Dass du dich selbst in Scheiben geschnitten oder mit schwarzem Rauch erstickt und die arme Ella Littlejohn mit in den Tod genommen hast? Ich glaubte Stourtons Klinge schon zwischen den Rippen zu spüren. Ella irrte sich bestimmt. Natürlich konnte er uns töten. In Stücke würde er uns schneiden! Doch plötzlich erloschen Stourtons Augen wie Glut, die erkaltete, und seine knochigen Hände ließen das Schwert fallen. Longspees Klinge drang ihm vorn aus der Brust, das geschmiedete Eisen so schwarz, als wäre es durch Ruß gestoßen, und der gehängte Lord fiel mir vor die Füße. Rauch drang aus der Wunde in seiner Brust, und sein Stöhnen strich mir übers Gesicht wie eine eisige Hand, als versuchte er, mich doch noch mit sich zu nehmen. Doch dann war es plötzlich still und vor mir lag nur eine leere Hülle wie die Haut einer geschlüpften Libelle.

Ich zitterte am ganzen Körper. Ich konnte einfach nicht aufhören, während der dunkle Nebel sich um mich herum lichtete und ich plötzlich wieder die Fenster des Internats am Ende des Gartens sah.

»Ella?«, sagte ich mit bebender Stimme.

Ich wagte nicht, mich umzudrehen, aus Angst, sie könnte tot hinter mir im Gras liegen, und mein Herz tat einen erleichterten Satz, als ich ihre Stimme neben mir hörte.

»Oh, das ist widerlich!«, sagte sie – und da stand sie, mit trockenen Blättern im Haar und ein paar Kratzern auf der Stirn, aber lebendig und starrte mit angeekeltem Gesicht auf Stourtons leere Hülle, die sich in der Abendsonne auflöste.

Die letzten Sonnenstrahlen ließen auch Longspees Züge verblassen. Ich konnte ihn kaum noch erkennen, als er das Schwert zurück in die Scheide schob.

»Danke!«, stammelte ich. »Danke. Wir …«

Aber Longspee nickte mir nur wortlos zu, schenkte uns den Schatten eines Lächelns – und war verschwunden.

Die untergehende Sonne füllte den Garten mit Rot und Gold, und ich konnte keine Kampfspuren entdecken außer ein paar abgebrochenen Zweigen und Pfotenabdrücken, die wie eingebrannt im Gras zurückgeblieben waren.

»Jon?«, hörte ich Alma Popplewell rufen, und diesmal ließ kein schwarzer Nebel ihre Stimme wie von einem anderen Planeten zu mir dringen. »Jon!«

»Hier! Wir sind im Garten!«, rief ich zurück, erstaunt, dass meine Stimme schon wieder halbwegs normal klang.

Ella zitterten die Knie bestimmt ebenso wie mir, als wir auf das Haus zugingen.

»Deine Mutter ist am Telefon, Jon!«, rief Alma uns entgegen. »Ich kann nicht fassen, dass ihr zwei im Garten wart! Habt ihr den Nebel gesehen? Ich frage mich wirklich, was sie da wieder in irgendeinem Garten verbrannt haben!«

Ella und ich wechselten einen raschen Blick. Wir konnten beide kaum glauben, dass man uns, was geschehen war, nicht vom Gesicht ablas, aber Alma stutzte nur über die Blätter in Ellas Haar und die feuchte Erde an meiner Hose.

»Da waren zwei Hunde«, sagte ich. »Ziemlich grässliche Biester. Aber wir haben sie vertrieben.«

»Hunde?« Alma warf einen besorgten Blick durch den Garten. »Oh ja. Manchmal jagen sie die Enten auf dem Fluss und springen dann über die Mauer. Ich finde wirklich, sie sollten verbieten, sie im Park von der Leine zu lassen. Geh ans Telefon im Büro, Jon. Ella kann inzwischen den Pudding probieren, den ich gekocht habe.«

Pudding. Telefonieren mit meiner Mutter ... Das Leben ging tatsächlich weiter.

Es war sehr merkwürdig, nach dem, was passiert war, Fragen wie: »Hast du schon neue Freunde?« oder »Wie ist das Essen?« zu beantworten. »Mam«, wollte ich stattdessen fragen, »weißt du, wie gefährlich es ist, als dein Sohn nach Salisbury zu kommen?« Aber ich verkniff es mir. Longspee hatte Stourton zur Hölle geschickt und alles war gut.

Meine Mutter hörte sich glücklich an. Ihr einziger Sohn war zwar gerade dem Mordanschlag eines Geisterlords entkommen, weil sie ihn an den gefährlichsten Ort geschickt hatte, den es für Mitglieder unserer Familie gab, aber sie redete über den Urlaub mit dem Vollbart und darüber, wie nett er zu meinen Schwestern war. Egal. Mir war alles egal. Ich war einfach nur froh, dass ich am

Leben und Ella nichts passiert war. Und dass all die Angst nun ein Ende hatte.

»Jon? Was sagst du dazu?«

Oh, ich hatte etwas verpasst.

»Sagen – wozu?«

»Dass wir zwei uns ein nettes Wochenende machen! Ich komme am Freitag und bleibe bis Sonntagabend. Du weißt, wir haben das Haus voller Handwerker, weil Matt dringend ein Büro braucht, sonst hätte ich dich natürlich lieber hier gehabt. Aber denkst du nicht auch, dass es sogar netter ist, wenn wir ein paar Tage nur für uns haben? Wir könnten nach Stonehenge fahren, spazieren gehen und in der Alten Mühle essen. Als wir uns die Schule angesehen haben, hatten wir ja nur ein paar Stunden Zeit, aber diesmal könnten wir uns vielleicht auch den Abendgesang in der Kathedrale anhören! Ich war noch nie abends in der Kathedrale, es muss wunderbar sein, meinst du nicht?«

»Bestimmt«, murmelte ich und spürte plötzlich, dass ich sie abscheulich vermisste. Ich wollte ihr alles erzählen, was mir in den letzten Tagen passiert war (auch wenn ich ziemlich sicher war, das sie mir kein Wort glauben würde). Ich wollte ihr Angus und Stu vorstellen und Ella, ja, ganz besonders Ella, obwohl … vielleicht war das keine gute Idee. Mütter konnten entsetzlich peinlich sein, wenn man ihnen Freunde vorstellte. Vor allem, wenn es Mädchen waren. Und plötzlich durchfuhr mich ein anderer Gedanke. Moment mal. Sie konnte nicht kommen! Sie war ein Hartgill – wie ich! Und?, fragte die überlegtere Seite meines Verstandes. Stourton ist tot, fort, aufgelöst, oder wie immer man das bei einem Geist nennt. Der Spuk ist vorbei. Außerdem … hatte Zelda nicht gesagt, dass er nur den männlichen Hartgills nachstellte?

»Jon?«

Ich starrte das Telefon an.

»Ja … ich bin noch da, Mam.«

»Willst du, dass ich komme?«

»Klar.« So lange der Vollbart nicht mitkam …

Entspann dich, Jon Whitcroft! Der Spuk ist vorbei. Keine toten Mörder mehr, keine schwarzen Hunde. Das einzige Problem, das es in deinem Leben noch gibt, hat einen Bart, und sie hat doch gesagt, dass sie ihn nicht mitbringt. Ich betrachtete meine Hand. Sie blutete. Ich hatte sie mir an der Mauer aufgeschürft.

Ella schob den Kopf durch die Tür. Sie hatte zwei Becher mit heißem Kakao in der Hand. Alma machte sehr guten Kakao. Ihr Pudding war weniger gut.

»Ich ruf dich Montag an«, sagte meine Mutter. »Sobald ich weiß, welchen Zug ich nehme. Soll ich dir irgendwas mitbringen?«

»Süßigkeiten«, murmelte ich, während ich immer noch meine zerschundene Hand anstarrte. »Schokolade, Lakritze, Weingummi …« All das war verboten im Königreich der Popplewells, aber das musste ich ihr ja nicht sagen. Vielleicht würde Angus mir eins seiner Stofftiere leihen, um auch meine Vorräte zu verstecken.

Ella hob die Augenbrauen, als sie meine Aufzählung hörte. Sie verabscheute Weingummi und Lakritze – was natürlich wunderbar war. Mit elf gibt es nichts Schlimmeres als Freunde, die dieselben Süßigkeiten mögen.

Alma erlaubte Ella noch, für den Film zu bleiben, den sie im

Gemeinschaftsraum zeigten. Es war irgendein alter Horrorfilm, in dem die Geister wie wandelnde Bettlaken aussahen und nicht mal die Zweitklässler erschrecken konnten. Aber Ella und ich lachten nicht ein einziges Mal. Wir saßen nebeneinander und versuchten, die Geister zu vergessen, denen wir hinten im Garten begegnet waren. Auch wenn wir beide wussten, dass wir uns an die Angst, die wir gehabt hatten, noch erinnern würden, wenn wir so alt wie Zelda waren.

Trotzdem. An diesem Abend glaubten wir tatsächlich, dass Stourton und seine Knechte dank Longspee für alle Zeit aus unserem Leben verschwunden waren. Aber wie sich herausstellen sollte, hatte selbst Ella noch einiges über Geister zu lernen.

9

Das gestohlene Herz

Edward Popplewell brachte Ella nach dem Film zurück zu Zelda. Der Weg über die Schafsweiden war an jedem Abend unheimlich, doch ich war sicher, dass Ella in dieser Nacht besonders dankbar für Begleitung war – auch wenn Edward ihr auf dem Weg das alte Bewässerungssystem von Salisbury erklärte. Wir hatten beide beschlossen, dass es besser war, weder Zelda noch Ellas Eltern von unserem Abenteuer zu erzählen. Ich hätte gut verstehen können, wenn sie ihr sonst den Umgang mit mir auf der Stelle verboten hätten.

»Wir erzählen es ihnen, wenn wir achtzehn sind«, flüsterte Ella mir zum Abschied zu. »Auch wenn sie es bestimmt nicht glauben werden.«

Ich vermisste Angus' schläfriges Summen, als ich ins Bett kroch, und dass Stu über mir den Namen irgendeines Mädchens stöhnte, doch die Nacht hatte nie süßer geschmeckt. Die Angst war noch eine frische Narbe, aber zum ersten Mal seit Tagen war ich ziemlich sicher, dass ich meinen zwölften Geburtstag erleben würde. Trotzdem ging ich irgendwann ans Fenster, um mich zu versichern, dass tatsächlich keine blutleeren Gesichter zu mir heraufstarrten. Ich fuhr zusammen, als sich bei den Ascheimern etwas bewegte, aber es war nur Alma, die den Müll nach draußen brachte.

Es war eine klare Nacht, und am Himmel standen so viele Sterne, als feierten sie dort oben mit einem Feuerwerk, dass Longspee Stourton den Garaus gemacht hatte. Ich fragte mich, wo er nun war. Wieder in der Kathedrale, um dort auf einen weiteren verzweifelten Jungen zu warten, der ihn zu Hilfe rief? Ich hätte zu gern mehr über ihn gewusst, über sein Leben und über die Taten, die er sich von der Seele waschen wollte. Ich hätte mich so gern revanchiert für das, was er für mich getan hatte. Doch am meisten wünschte ich mir, ihn wiederzusehen.

Und? Worauf wartest du, Jon?, dachte ich. Geh zu ihm. Dies ist die Nacht, um Danke zu sagen. Du wirst dich vermutlich nie wieder so mutig fühlen wie heute.

Gedacht. Getan.

Ich stopfte ein paar von Angus' Stofftieren unter meine Decke, damit es aussah, als läge ich darunter. Dann zog ich mich wieder an und schlich auf Socken, die Schuhe in der Hand, an der Tür der Popplewells vorbei nach unten. Zum Glück ließen sie nachts den Schlüssel stecken. Ich zog ihn ab und nahm ihn mit, in der Hoffnung, dass sie es nicht bemerkten, bevor ich zurückkam.

Diesmal blieb der Domhof menschen- und geisterleer, als ich auf die Kathedrale zulief. Die Mauer um die Kreuzgänge ist so hoch, dass es selbst für einen Erwachsenen nicht leicht ist hinüberzuklettern, aber zum Glück fand ich einen Baum, von dem ich mich hinüberhangeln konnte. Als ich auf die Steinfliesen hinter der Mauer sprang, landete ich so hart, dass ich für einen Augenblick dachte, ich hätte mir den Knöchel gebrochen, aber der Schmerz verging, und der Geist des Steinmetzjungen tauchte auch nicht auf. Nichts rührte sich zwischen den Säulen. Der Mond malte silberne Muster auf Gras und Stein – und natürlich waren die Türen der Kathedrale verschlossen, so heftig ich auch daran rüttelte. Was hatte ich erwartet?

»Longspee?«, flüsterte ich und presste mein Ohr gegen das alte Holz.

Der Wind rauschte in den Zweigen der Zeder, aber sonst war alles still, und ich setzte mich auf die Fliesen, den Rücken gegen die verschlossenen Türen gelehnt, und starrte auf den Löwen in meiner Hand. Der Abdruck war verblasst. Natürlich, er hatte seinen Zweck erfüllt. Ich würde Longspee nie wiedersehen. Ich spürte, wie mir Tränen in die Augen stiegen. Verdammt. Seit ich hier war, kamen sie mir schneller als meinen kleinen Schwestern! Ich fuhr mir mit dem Ärmel übers Gesicht und presste die Finger auf den verblassenden Löwen.

»Warum weinst du, Jon?«

Ich blickte auf.

Longspee sah auf mich herab. Seine Tunika war immer noch mit Blut bedeckt.

»Es ist nichts. Gar nichts«, stammelte ich und kam auf die Füße. Ich war so glücklich, ihn zu sehen. So blödsinnig glücklich.

»Das haben meine Söhne auch gesagt, wenn ich sie beim Weinen ertappte. Hör auf, dich für Tränen zu schämen. Ich hab in meinem Leben sehr viele vergossen und es waren immer noch nicht genug.«

Das Schwert, das er Stourton in die Brust gestoßen hatte, hing an seiner Seite.

»Was?« Er folgte meinem Blick. »Du blickst drein, als hättest du noch nie ein Schwert gesehen.«

Ich hatte Schwerter gesehen. Dutzende. In Filmen und Museen. Aber ich hatte nie zuvor gesehen, wie eines in einem wirklichen Kampf benutzt wurde. Es war furchtbar gewesen, auch wenn es nur das Schwert eines Geistes war. Und ich konnte die Augen nicht davon lassen.

»Es ist bestimmt sehr schwer, oder?«

»Oh ja. Ich weiß noch, wie schnell meine Arme schmerzten, nachdem mein Bruder mir zum ersten Mal eins in die Hand gedrückt hat. Meine Finger waren zu kurz, sich um den Knauf zu schließen, und nach meiner ersten Übungsstunde konnte ich nicht einmal mehr einen Löffel heben.«

»Dein Bruder? Das war Löwenherz.«

»Ich hatte viele Brüder. Mehr als ein Mann braucht. Alle älter als ich. Und stärker. Sie wurden es nie leid, den Bastarden ihres Vaters das Leben schwer zu machen. Zum Glück beschützte unsere Stiefmutter uns … der Einzige, dem sie alles durchgehen ließ, war Johann.«

Seine Stiefmutter. Eleonore von Aquitanien. Natürlich hatte Bonapart uns von ihr erzählt. Und Johann war Johann Ohneland,

Prinz John. Der Mann, der Robin Hood gejagt hatte. Falls es den wirklich gegeben hatte. Bonapart bestritt es energisch. Ich wollte Longspee nach ihm fragen, aber er schien verloren in seinen Erinnerungen. Er blickte die dunklen Kreuzgänge hinunter, als sähe er seine Brüder zwischen den Säulen stehen.

»Kann ich … kann ich das Schwert mal halten?«

Ja, ich weiß. Entsetzlich kindisch. Ich war elf (obwohl … wenn ich ehrlich bin … ich würde ihn heute vermutlich dasselbe fragen).

Longspee lachte. Es wischte ihm die Traurigkeit vom Gesicht.

»Nein. Hast du vergessen? Das ist das Schwert eines Geistes! Es ist nichts als ein Schatten – wie ich.«

»Aber dein Ring!« Ich wies auf den Abdruck in meiner Hand.

»Das Siegel ist mir geblieben, weil der Tod sichergehen will, dass ich meinen Eid erfülle. Aber alles andere ist nichts als Schatten und Dunkelheit.«

Er sah mich an.

»Die Dunkelheit bedeckt meine Seele wie Ruß, Jon. Ich wünschte, ich hätte noch einmal eine Seele wie du, jung und unbefleckt von Zorn, Neid und falschem Ehrgeiz. Keine Erinnerungen an blutige Taten, die dich verfolgen, keine Grausamkeit, die dich für immer beschämt, kein Verrat, der dir den Glauben an dich selbst nimmt.«

Ich senkte den Kopf. Jung und unbefleckt? Ich dachte an die Grabsteine, die ich für den Vollbart gezeichnet hatte und an all die Todesarten, die ich mir für ihn ausgemalt hatte.

Longspee lachte leise.

»Was rede ich da?«, sagte er mit verschwörerisch gesenkter Stimme. »Natürlich weißt du auch schon von all diesen Dingen. Als ich so alt war wie du, wollte ich mindestens zwei meiner Brüder töten. Und die Geliebte meines Vaters habe ich eine Wendeltreppe hinuntergestoßen. Was mir die schlimmste Tracht Prügel meines Lebens einbrachte.«

Dieses Geständnis tat mir gut. Aber ich konnte die Augen immer noch nicht von dem Schwert lassen.

»Ich wünschte trotzdem, du könntest es mir beibringen«, murmelte ich.

»Beibringen? Was?«

»Das Kämpfen.«

Er musterte mich mit nachdenklichem Blick.

»Ja, als ich so jung war wie du, wollte ich auch nichts anderes lernen. In deinem Alter wusste ich sogar schon einiges darüber. Ich wurde Knappe, als ich noch nicht mal sieben war.« Für einen Moment verschwammen seine Züge, als ginge er in seinen Erinnerungen verloren.

»Es gibt nur einen Weg, dir etwas über das Kämpfen beizubringen«, sagte er schließlich. »Und ich bin nicht sicher, ob es der richtige ist. Du lernst vielleicht Dinge, die du nicht wissen willst.«

»Was ist das für ein Weg?«, fragte ich.

Longspee sah mich an, als wäre er unschlüssig, ob er ihn mir zeigen wollte.

»Jon Whitcroft wird William Longspee«, antwortete er schließlich. »Für ein paar Herzschläge …«

»Wie?« Meine Stimme war kaum mehr als ein Flüstern. Ich

wollte niemand lieber sein als er, niemand auf der ganzen Welt, auch wenn er ein toter Mann war.

»Komm näher!«, sagte er.

Ich gehorchte. Ich trat so dicht an ihn heran, dass das Licht, das ihn umgab, meine Haut ebenso blass färbte wie die seine und seine Kälte mir durch die Kleider drang.

»Noch näher, Jon!«, sagte er.

Es war, als schmölze ich. Ich fühlte einen anderen Körper, noch jünger als meinen, einen Gürtel, einen Brustschutz aus Leder ... und da war ein anderer Ritter, so groß wie Longspee, mit einem Schwert in der Hand. Er griff mich an. Ich hatte auch ein Schwert, kurz und schwer. Ich riss es hoch, aber nicht schnell genug. Schmerz. Blut rann mir den Arm hinunter. Eine Stimme: »Gottfried! Er ist dein Bruder!« »Na und?«

Der Schmerz war furchtbar, ich konnte kaum denken. Wo war ich? Wer war ich?

Ich spürte, wie mein Körper wuchs. Ich war stark und groß, aber da war noch mehr Blut. Und mehr Schmerz. Da waren Schwerter, viele, Lanzen, Messer, Pferde. Ich kämpfte. Diesmal war das Schwert so lang, dass ich es mit beiden Händen hielt. Ich spürte, wie meine Arme es in einen anderen Körper stießen. Ich hörte meinen eigenen Atem, schwer und viel zu schnell, fühlte Regen auf meinem Gesicht. Er schmeckte salzig. Ich roch das Meer. Der Grund unter meinen Füßen war feucht und schlammig. Ich rutschte aus, schlug hin. Etwas bohrte sich in mein Bein. Ein Pfeil. Ich schrie vor Schmerz, oder war es Wut? Da war Blut in meinen Augen. Meins oder das eines anderen Mannes?

Jemand rief einen Namen. Immer wieder.

»Jon!«

Mir war kalt und plötzlich wieder warm. Ich stolperte zurück, bis mein Rücken gegen eine Mauer stieß. Den Pfeil in meinem Bein spürte ich immer noch. Meine Finger tasteten danach, als müssten sie sich davon überzeugen, dass er mir nicht doch im Fleisch steckte. Aber meine Augen suchten nach Longspee.

Er war fast unsichtbar. Das Licht, das ihn sonst umgab, war erloschen. Er war ein Schatten, nichts weiter.

»Ich wurde fast getötet in dieser Schlacht.« Seine Stimme schien von weit, sehr weit her zu kommen. »Es gab viele solcher Schlachten, so viele. Alles, was bleibt, ist der Schmerz, die Angst und der Lärm. Kämpfen gegen die Franzosen, kämpfen gegen meine eigenen Landsleute, kämpfen für meine Brüder, kämpfen gegen sie, kämpfen …« Longspees Stimme schien aus den Wänden zu kommen, aus den Grabsteinen, die die Kreuzgänge säumten, aus den Fliesen unter meinen Füßen.

»All die Gewalt weißgewaschen, weil wir uns für die richtige Sache schlugen, all die Grausamkeit unser heiliges Werkzeug, so heilig wie die Knochen der Märtyrer, die wir uns um die Hälse hängten. Und hier stehe ich, bedeckt mit Blut, gebunden durch meinen eigenen Eid, gefangen zwischen Himmel und Hölle und getrennt von der Einzigen, die die Dunkelheit vertreiben könnte.«

Ich spürte seine Traurigkeit ebenso schmerzhaft, wie ich den Pfeil gespürt hatte.

»Was kann ich tun?«, stammelte ich. »Kann ich irgendetwas tun?«

Longspees Gesicht war immer noch aus Dunkelheit gemacht. Er antwortete eine ganze Weile nicht. Und als er es tat, war es nicht die Antwort, die ich hören wollte.

»Geh nach Hause, Jon«, sagte er, während sein Schatten mit den Mauern der Kathedrale verschmolz. »Vergiss William Longspee. Er ist verflucht. Durch den eigenen Schwur und die Falschheit eines anderen. Er hat sein Herz verloren und die, die er liebt. Ohne sie gibt es keinen Weg aus der Dunkelheit.«

Und fort war er.

»Nein. Warte!« Meine Stimme hallte so laut durch die alten Gänge, dass ich selbst erschrak. Ich lauschte in die Nacht, aber kein Wächter kam, kein Priester und kein toter Ritter.

Ich fiel auf die Knie. Es war das Einzige, was mir einfiel. Ella wäre stolz auf mich gewesen.

»Longspee!«, rief ich. »William Longspee! Komm zurück! Ein Ritter muss bei seinem Knappen bleiben!«

Nichts. Nur eine Krähe flog krächzend aus der Zeder auf, als beschwerte sie sich über mein Geschrei.

Fort.

Ich kniete da und spürte das Schwert in meiner Hand. Den Schlamm unter meinen Füßen. Sein Herz in meiner Brust. Steh auf, Jon!, sagte ich mir. Diesmal ist er wirklich fort. Doch gerade, als ich mich aufrichtete, hörte ich Longspees Stimme hinter mir.

»Ein Toter braucht keinen Knappen, Jon Whitcroft.«

»Oh doch!«, stammelte ich. »Ganz sicher.«

»Ach ja? Und wofür?«

Nun mach schon, Jon. Sonst ist er gleich wieder fort.

»Um … deinen Eid zu erfüllen«, stieß ich hervor. »Um … um den Marmor von deinem Grabmal zu polieren, um dir Gesellschaft zu leisten … um … um den Weg aus der Dunkelheit zu finden oder die, die du liebst. Was auch immer! Es muss doch irgendwas geben, das ich tun kann!«

Er schwieg. Und blickte mich an.

Ich dachte, er würde nie etwas sagen. Aber seine Gestalt war wieder deutlicher geworden.

»Es gibt nur eins, um das ich dich bitten könnte«, sagte er schließlich, »und es ist vermutlich unmöglich.«

»Was ist es?« Ich wollte so gern etwas für ihn tun. Ich hatte mir noch nie etwas so sehr gewünscht. Ich hätte im Austausch dafür sogar in Kauf genommen, dass der Vollbart in meinem Leben blieb.

Longspee zögerte mit der Antwort.

Dann sagte er: »Traust dich noch einmal in meine Dunkelheit?«

Ich nickte.

Und trat wieder auf ihn zu, bis seine Kälte mich umschloss.

Ich war in der Kathedrale. Auf einem Begräbnis. Hunderte von Menschen drängten sich zwischen den Säulen. Männer, Frauen, Kinder. Ich sah Priester und Choristen in derselben Tracht, die Angus trug, Kerzen, Fackeln und in ihrem unsteten Licht Longspees Leiche. Meine Leiche. Ich lag fast genauso da, wie sein Abbild in Stein es tat. Eine Frau stand neben mir, sehr gerade, drei Jungen an ihrer Seite und zwei Mädchen. Ella. Ich spürte, wie meine Lippen ihren Namen formen wollten, aber ich war stumm und schon lange nicht mehr der Bewohner meines Körpers. Es war alles weiß.

Es war alles schwarz. Und plötzlich sah ich ein anderes Bild. Ein Mann beugte sich über mich. »Ich habe gehört, dass du deine Frau gebeten hast, dein Herz an sich zu nehmen«, hörte ich ihn meinem toten Körper zuflüstern. »Sehr rührend. Hast du gehofft, dass sie dich so in alle Ewigkeit beschützen kann, die ach, so kluge Ela von Salisbury? Falsch gedacht. Ich habe dich nicht vergiftet, nur damit sie dir auch nach dem Tod noch treu ist. Nein. Deine Frau wird das Herz meines Dieners an ihre Brust drücken. Ich habe ihn eigens dafür erschlagen lassen, obwohl er ein guter Diener war. Dein Herz aber habe ich zwischen den alten Dolmen begraben lassen, deren giftige Schatten die Liebe ebenso zuverlässig töten wie mein Gift deinen Körper getötet hat. Du bist verloren, William Longspee. Denn ich weiß, du bist nichts ohne deine Liebe. Du wirst ertrinken in deiner eigenen Schuld, und deine Seele wird in der Dunkelheit bleiben, ohne Hoffnung, dass all dein Edelmut sie reinwäscht. Du wirst deinen lächerlichen Eid nicht erfüllen. Ela wird vergebens auf dich warten, hier und im Himmel. Und es wird endlich ein Ende haben mit eurer absurden Treue!«

Ich rang nach Atem, Williams Wut erstickte mich. Hass. Verzweiflung – und ich wurde erst wieder Jon Whitcroft, als Longspee zum dritten Mal meinen Namen rief.

»Wer war das?«, stammelte ich, während ich seine Wut noch immer wie meine eigene spürte.

»Mein Mörder«, antwortete Longspee. »Finde mein Herz, Jon. Finde es, und begrabe es zu Füßen meiner Frau. Nur so werde ich die Kraft haben, meinen Eid zu erfüllen – und die Hoffnung, sie eines Tages wiederzusehen.«

10

Giftige Schatten

Alma musste mich gehört haben, als ich zurück ins Haus schlich. Sie kam den Flur herunter, als ich aus der Hose stieg, und ich schaffte es gerade noch, Angus' Stofftiere aus dem Bett zu schubsen und selbst unter die Decke zu kriechen, bevor sie im Zimmer stand. Zum Glück bemerkte Alma weder die nassen Beine meiner Hose noch die schlammigen Schuhe unter meinem Bett. Schließlich zog sie die Tür wieder hinter sich zu und ich erstickte einen Seufzer der Erleichterung in meinem Kissen.

Ich schlief wie ein Stein in dieser Nacht, obwohl ich einen abscheulichen Traum hatte, in dem Stourton mir das Herz herausschnitt und es unter einem Galgen begrub. Der nächste Morgen war ein Sonntag, und ich rief Ella an, sobald ich aufwachte. Sie war bei ihren Eltern, und ihr Vater klang nicht sonderlich begeistert, dass ein wildfremder Junge seine Tochter an einem Sonntagmorgen anrief. Aber schließlich holte er Ella ans Telefon. Sie hörte sich schweigend an, was ich zu berichten hatte, und schwieg auch noch, als ich fertig war. Ich glaubte schon, ihr Vater hätte sie zurück in ihr Zimmer geschickt, als sie sich räusperte und mit ihrer üblichen Mich-kann-so-leicht-nichts-erschüttern-Ella-Stimme fragte: »Und? Was wirst du nun tun?«

Ich hatte eigentlich gehofft, dass sie mir das sagen würde. Ich hatte mich so sehr an ihren Rat gewöhnt, dass es mir nicht mal mehr peinlich war, dass er von einem Mädchen kam (obwohl es mich immer noch durcheinanderbrachte, dass sie so hübsch war). Ella war der beste Freund, den ich je gehabt hatte. Es verbindet schon sehr, zusammen gegen Dämonenhunde und mordende Geister zu kämpfen.

»Jon!«, fragte sie noch einmal. »Was wirst du nun machen?«

Ich starrte das Telefon an. »Na ja …«, antwortete ich schließlich mit gesenkter Stimme – Edward Popplewell schlug gerade am Ende des Flurs einen Nagel ein (und stellte sich dabei nicht allzu geschickt an) –, »erst mal muss ich diese Dolmen finden!«

»Finden? Wovon redest du? Das Herz ist in Stonehenge, wo sonst?«

Stonehenge. Natürlich. Die berühmtesten Dolmen der Welt. Selbst meine kleinste Schwester konnte sie zeichnen. Ich war ein Idiot. Ein bemitleidenswerter, begriffsstutziger Idiot. Aber Ella tat wieder mal großzügigerweise so, als hätte sie das noch nicht bemerkt.

»Ich werd Zelda bitten, uns hinzufahren«, sagte sie. »Meine Eltern würden nur Fragen stellen. Sie machen sich ständig Sorgen. Es ist zum Verrücktwerden.«

Na ja, ihre Tochter war fast von Dämonenhunden zerrissen und durch den Atem eines toten Mörders vergiftet worden. Ich fand, sie hatten wirklich allen Grund, sich Sorgen zu machen. Aber natürlich sagte ich das nicht.

Die Popplewells zogen sich zur Beratung zurück, als ich sie fragte, ob ich meinen Hausarrest auch am nächsten Sonntag absitzen könnte, da die Littlejohns mich nach Stonehenge eingeladen hätten. Sie diskutierten fast eine halbe Stunde, aber schließlich gaben sie ihre Einwilligung (sie waren wirklich nette Ersatzeltern und ich hätte Edward zum Dank zu gern ein paar Bartstoppeln geschenkt).

»Passt nur auf, dass euch die Touristen nicht zu Tode trampeln«, sagte er, als Ella mich abholte. »An Sonntagen ist Stonehenge ein sehr gefährlicher Ort.«

Alma sagte nichts, aber sie warf Ella und mir einen so gerührten Ach-junge-Liebe-Blick zu, dass ich Ella hastig aus der Tür zerrte.

Zeldas Auto sah älter aus als die Kathedrale, und Ella und ich mussten uns beide auf den Rücksitz zwängen, weil der Beifahrersitz von einem großen Korb besetzt war, aus dem seltsame Geräusche drangen.

Die Straße, die aus Salisbury herausführt, war noch sonntagsverschlafen leer, aber Zelda fuhr trotz ihres bandagierten Fußes so schnell, dass es mich in jeder Kurve gegen Ella warf, was reichlich peinlich war.

»Gut, ich habe Ella versprochen, keine Fragen zu stellen!«, sagte Zelda, während sie fast einen Fahrradfahrer umfuhr, der sich ahnungslos am Straßenrand abmühte. »Aber ich finde es wirklich seltsam, dass euch ein Lehrer Geschichten über vergrabene Schätze in Stonehenge in den Kopf setzt!«

Ella warf mir einen warnenden Blick zu, und ich tat mein Bestes, ein unschuldiges Gesicht zu machen, während Zelda schimpfte, dass die Lehrer zu ihrer Zeit wesentlich qualifizierter waren.

»Ich hab ihr gesagt, dass Bonapart behauptet, in Stonehenge wären Berge von Wikingergold vergraben«, flüsterte Ella mir zu, »und dass wir es suchen wollen. Für Schätze ist sie immer zu haben.«

»Was flüstert ihr denn da?«, fragte Zelda über die Schulter. »Gibt es irgendwas, was ich wissen sollte?«

»Nein, was soll schon sein?«, antwortete Ella mit vollkommen ausdruckslosem Gesicht. »Erklär Jon den Plan.«

»Ach ja … der Plan.« Zelda lächelte zufrieden in den Rückspiegel. »Jon, du weißt sicher, dass niemand in die Nähe der Dolmen darf wegen dieser Druiden, die dort allzu gern ihre Messen feiern?«

»Sicher«, murmelte ich, auch wenn ich weder von den Druiden noch von ihren Messen gehört hatte. Aber ich wollte keinen Vortrag über die Geschichte von Stonehenge riskieren.

»Um das zu umgehen« – Zelda zeigte auf den Korb – »haben wir Wellington mitgebracht.«

Ich warf Ella einen fragenden Blick zu.

»Wellington ist ein Hund«, erklärte Ella mit dem stoischen Gesichtsausdruck, den ich inzwischen so beruhigend fand. »Aber ein netter«, setzte sie hinzu, als wären alle anderen Hunde eher wie die, die wir zuletzt getroffen hatten. »Er gehört meiner Freundin Alyce und kann wirklich schnell rennen. Zelda lässt ihn laufen, um die Wachen abzulenken, und wir bringen die Kröte zwischen die Dolmen.«

»Die Kröte?«, wiederholte ich.

»Ja, sie ist auch in dem Korb«, sagte Ella. »Zelda sagt, Kröten können vergrabene Sachen finden.«

»Indem sie herumhüpft?«

»Genau«, sagte Ella und schob sich eine Handschaufel unter die Jacke.

Das war mit Abstand der verrückteste Plan, den ich je gehört hatte, aber da meine Absicht, ein vor achthundert Jahren vergrabenes Herz zu finden, schließlich auch kaum vernünftig war, hielt ich den Mund.

Es war erneut ein bewölkter Tag, und der Wind schmeckte schon nach Herbst, aber die Touristen hatte das nicht ferngehalten. Auf dem riesigen Parkplatz standen die Busse und Autos dicht an dicht, und die Menschenschlange, die sich jenseits der Straße an den Dolmen vorbeischob, sah aus wie eine Karawane von Pilgern, die ein seltsames Heiligtum anbeteten.

Als Zelda mit ihrem Korb auf das Kartenhäuschen zuhumpelte, teilte sich das Gedränge vor ihr wie eine Schar verschreckter Erstklässler vor Bonapart. Wer hält schon eine spindeldürre kleine alte Frau mit einem bandagierten Fuß auf? Es fragte auch niemand nach dem Inhalt ihres Korbes (oder bemerkte die weiße Schnauze, die schnüffelnd unter dem Tuch hervorkam, das Zelda über den Korb gedeckt hatte).

Der Weg vom Parkplatz zu den Steinen führt durch einen Tunnel, und als wir herauskamen, griff der Wind Ella ins Haar, sodass mein erster Blick auf Stonehenge durch ein Gespinst von schwarzen Strähnen fiel. Vielleicht fand ich deshalb, dass die riesigen Steine aussahen, als führten sie einen altertümlichen Tanz auf.

»Sie sind unheimlich, oder?«, fragte Ella, während wir uns in die Menschenprozession einreihten, die an ihnen vorbeipilgerte.

Ich war nicht sicher. Ich gab mir alle Mühe, die giftigen Schatten zu spüren, aber alles, was ich sah, waren ein paar große graue Steine, die im Vergleich zu Stourton und seinen blutleeren Knechten ziemlich harmlos aussahen.

Wir hatten die Dolmen zur Hälfte umrundet, als Zelda ihren Korb neben dem Weg ins Gras stellte und sich zu den Wächtern umsah, die gelangweilt neben dem Ausgang des Tunnels standen.

Wellington sprang aus dem Korb, sobald Zelda das Tuch lüftete. Es ist ganz bestimmt nicht angenehm, mit einer von ihren Kröten in einem engen Korb zu stecken. Er raste über das Gras, das die Dolmen umgab, schlug ein paar erleichterte Haken und schoss auf die Prozession dahintrottender Touristen zu.

»Mein Hund, mein Hund!«, schrie Zelda so laut, dass sie ein Fußballstadion mit ihrer Stimme hätte füllen können. Das Ergebnis war vollkommenes Chaos.

Wellington bellte. Die Touristen stolperten gegen- und übereinander. Die Wachen rannten Wellington nach, und Ella griff sich den Korb und schlenderte so selbstverständlich auf die Dolmen zu, als wäre sie für ein Picknick gekommen. Ich tat mein Bestes, ihr mit dem gleichen gelangweilten Gesichtsausdruck zu folgen.

Es funktionierte. Keiner nahm Notiz von uns.

Zelda schrie immer noch. Wellington rannte weiter über die

zertrampelten Wiesen und hatte offenbar die beste Zeit seines Lebens – und Ella kniete sich im Schatten des größten Dolmens ins Gras und ließ die Kröte aus dem Korb hüpfen.

Sie machte einen lustlosen Hüpfer – und blieb sitzen.

»Na los!«, zischte Ella ihr zu und stupste sie mit dem Finger an. »Such!«

Nichts.

Das eingebildete Vieh hockte einfach nur da, mit einem Ausdruck tiefsten Abscheus auf dem breitmäuligen Gesicht.

Wir versuchten es bei einem anderen Stein. Und noch einem. Nichts. Ein gelangweilter Hüpfer, und die verdammte Kröte saß wieder nur da und starrte hinauf zu den grauen Steinen, die sich über ihr in den ebenso grauen Himmel reckten.

»So ein Reinfall«, sagte Ella und gab der Kröte einen weiteren Schubs. Die einzige Reaktion war ein ärgerliches Quaken.

Verdammt. Ich starrte die Dolmen an und versuchte zu spüren, wo der Mann, den ich mit Longspees Augen gesehen hatte, die Erde aufgegraben und die Urne mit dem Herzen versenkt hatte. Aber alles, was ich sah, war die Straße hinter den Dolmen und den überfüllten Parkplatz.

Hubert de Burgh. Ella behauptete, dass das sein Name sein musste. Auch wenn es keineswegs als bewiesen galt, dass er Longspee vergiftet hatte. Nun, ich wusste es besser. Von ihm selbst.

Ella legte mir tröstend den Arm um die Schulter. Inzwischen wurde ich zum Glück nicht mehr rot, wenn sie das tat.

»Keine Sorge«, sagte sie. »Wir finden das Herz. Du wirst sehen.«

Ich starrte über ihre Schulter. Einer der Wächter stand hinter ihr.

»Jon? Alles in Ordnung?«, fragte Ella – und drehte sich um.

»Und was treibt ihr beiden hier?«, fragte der Wächter.

Sein Gesicht war rot angelaufen. Vermutlich hatte er Wellington gejagt. Bei dem Bauch, den er vor sich hertrug, war es wirklich erstaunlich, dass er sich unbemerkt an uns herangeschlichen hatte. Verdammte Dolmen! Selbst Erwachsene konnten zwischen ihnen Verstecken spielen.

Aber Ella war natürlich kein bisschen beeindruckt. Im Gegenteil, sie runzelte die Stirn und musterte den Mann, als hätte er und nicht wir etwas ausgefressen. Dieses Stirnrunzeln ist eine von Ellas Geheimwaffen. Es gibt einem auf der Stelle das Gefühl, irgendetwas sehr Dummes gesagt oder getan zu haben, auch wenn man nicht die geringste Ahnung hat, was das gewesen sein könnte.

»Haben Sie den Hund meiner Großmutter gefangen?«, fragte sie den Wächter, als wäre das die einzige Aufgabe, die seinem ansonsten völlig bedeutungslosen Leben Sinn geben könnte.

»Nein … nein, haben wir nicht«, antwortete er sichtlich beeindruckt. »Das ist ein ziemlich schneller kleiner Hund.«

»Na, in dem Fall«, sagte Ella und setzte die Kröte zurück in den Korb, »… erledigen Jon und ich das wohl besser. Wenn Sie uns also bitte entschuldigen würden.«

Und damit schritt sie so würdevoll an ihm vorbei, als wäre sie die Königin von England.

Der Wächter warf ihr einen so fassungslosen Blick nach, dass ich mich nicht gewundert hätte, wenn er sich verbeugt hätte.

Dann war er verschwunden.

Und ich stand da und starrte auf die Stelle, an der er eben noch gestanden hatte. Lügner!, dachte ich, schmutziger toter Lügner! Ich hoffe, Longspee spießt dein schwarzes Herz ebenso auf, wie er es mit Stourtons getan hat.

Aber um mich herum schien es von überall zu flüstern: *Er hat mich umgebracht. Umgebracht. Umgebracht!*

Nein. Nein, es konnte nicht wahr sein.

»Komm zurück!«, rief ich, während ich mich in der leeren Kapelle umsah. »Komm zurück, du dreckiger Lügner!«

»Whitcroft?«

Mrs Tinker, die Schulsekretärin, stand in der Kapellentür. Alle nannten sie Tinkerbell, obwohl sie nicht gerade winzig war. Im Gegenteil. Sie passte kaum hinter ihren Schreibtisch. Aber wenn man nicht wusste, in welchen Klassenraum man musste oder ein Pflaster brauchte, ging man zu Tinkerbell. Außerdem wusste sie alles über den Bischofspalast.

»Mrs Tinker … wissen Sie irgendwas über die Jungen da draußen auf dem Bild?«, fragte ich.

Tinkerbell drehte sich in der Kapellentür um und blickte das Bild an. »Oh, die! Ja, sicher«, sagte sie. »Der ganz rechts wurde Operettensänger in London – hatte einen ziemlich schlimmen Ruf – und der zweite von links ist der Chorist, der aus dem Fenster gestürzt ist. Ich versuch immer, Mitgefühl mit ihm zu haben, aber …«

»Er ist aus dem Fenster gestürzt?«

»Ja. Hat sich den Hals gebrochen. Es gab damals wohl das Gerücht, dass ihn jemand gestoßen hat. Aber angeblich war er allein, als es passierte.«

Ich hatte das Gefühl, dass sich der Boden unter meinen Füßen auftat.

»Ich hab nach dir gesucht!«, fuhr Tinkerbell fort. »Zelda Littlejohn hat angerufen und gefragt, ob du Ella gesehen hast. Was etwas seltsam ist, weil Ella heute gar nicht in der Schule war, aber ich hab ihr gesagt, ich würde dich trotzdem fragen.«

»Nein«, murmelte ich, während ich in meinem Kopf den Choristen aus dem Fenster fallen sah. »Nein, ich hab Ella auch schon gesucht.«

Tinkerbell zuckte die Schultern und wandte sich zur Treppe. »Na, mal sehen, vielleicht weiß ihre Großmutter inzwischen, wo sie steckt!«

Kaum zu fassen, aber mein Verstand löste immer noch keinen Alarm aus. Er war allzu sehr damit beschäftigt zu verarbeiten, was der tote Chorist mir erzählt hatte.

»Vielleicht ist Ella bei ihren Eltern«, sagte ich, während ich Tinkerbell die Treppe hinunter folgte. »Ihre Großmutter versteht sich nicht allzu gut mit ihnen.« Ella hatte mir erzählt, dass Zelda und ihre Mutter sich mindestens dreimal wöchentlich stritten.

Aber Tinkerbell schüttelte den Kopf. »Nein. Ihre Eltern sind schon wieder auf Tournee. Irgendwo in Schottland, soweit ich weiß.«

Das war der Moment, in dem ich endlich begriff.

Irgendetwas war geschehen. Etwas Furchtbares.

Mein Herz begann, so schnell zu schlagen, dass mir übel davon wurde. Ich vergaß den toten Choristen und das, was er über Longspee gesagt hatte. Konnte er wirklich ein Mörder sein? Mit einem Mal war selbst das egal.

In meinem Kopf war nur noch Platz für eine einzige Frage:

Wo war Ella?

12

Ellas Onkel

Ich rannte den ganzen Weg zu Zeldas Haus. Mir war egal, ob sie mich aus der Schule warfen, weil ich mich zum zweiten Mal ohne Abmeldung davonmachte. Mir war alles egal. Wo war Ella?

Zelda saß auf dem Sofa, als ich in ihr Wohnzimmer gestolpert kam, umringt von ihren Kröten, und hielt einen Brief in der Hand. Sie hatte die Brille abgenommen und ihre Augen waren rot geweint.

»Was ist?« Ich sah Ella von einem Laster überfahren oder ertrunken im Mühlenteich.

Zelda hielt mir den Brief hin. Die Handschrift sah seltsam ungeschickt aus – als hätte jemand, der eigentlich mit der rechten Hand schreibt, es zur Abwechslung mit links versucht.

Zuerst verstand ich nicht ein Wort von dem, was ich las, aber als mir die Bedeutung dämmerte, musste ich mich da, wo ich stand, auf Zeldas geblümten Teppich setzen. Die Knie gaben mir einfach nach (und ich zerquetschte fast zwei Kröten).

Zelda Littlejohn. Bring den Hartgill-Jungen zum Friedhof von Kilmington, sobald es dunkel wird, oder deine Enkeltochter wird bei Sonnenaufgang zur Hölle fahren.

Unter die Worte war ein Wappen gezeichnet. Es war verschmiert, als hätte ein ungeschickter Finger in die noch feuchte Tinte gegriffen, aber ich erkannte es trotzdem. Das letzte Mal hatte ich es auf der Decke eines toten Pferdes gesehen.

»Aber … das ist unmöglich!«, stammelte ich. »Er ist tot. Ich mein … diesmal wirklich! Wir haben es gesehen! Longspee hat ihn umgebracht.«

Zelda putzte sich geräuschvoll die Nase.

»Longspee? Jon, was habt ihr zwei mir nicht erzählt? Das ist Lord Stourtons Wappen, aber Geister schreiben keine Briefe!«

Zelda sah mich anklagend an und sie hatte allen Grund dazu.

Also erzählte ich ihr alles. Wie Ella mit mir in die Kathedrale gegangen war, wie wir Longspee gerufen und er uns vor Stourton und seinen Knechten gerettet hatte. Nur von dem toten Choristen und dem gestohlenen Herzen sagte ich nichts. Ich brachte es einfach nicht über die Lippen, Longspee einen Mörder zu nennen.

Zelda lauschte mir fassungslos. Und am Ende sah sie mich an, als würde sie mich ebenso gern wie Stourton erschlagen.

»Wie konntet ihr mir all das nicht erzählen?«, rief sie. »Und was sollte das mit Stonehenge? Ich wette, dort sind wir auch nicht wegen eines Wikingerschatzes gewesen!«

Ich senkte den Kopf. Ich konnte ihr nicht in die Augen sehen.

»Das ist eine andere Geschichte«, murmelte ich. »Wirklich. Die hat nichts mit Stourton zu tun.« Ich kam wieder auf die Füße. »Wie konnte er einen Brief schreiben und Ella entführen, Zelda? Er ist ein Geist! Er kann nicht mal einen Stift halten!«

»Stinkwurz noch mal, was weiß ich?«, rief Zelda. »Die Geister, die ich kenne, jagen keine Kinder oder besitzen Dämonenhunde! Sie lassen ein paar hohle Seufzer hören und verschwinden, wenn man sie anschreit! In was für einen Schlamassel hast du Ella da hineingezogen, Jon?«

Und damit schluchzte sie wieder in ihr nasses Taschentuch, während ich dastand und den Brief anstarrte, den ich immer noch in der Hand hielt.

Als es an der Tür klopfte, fuhr ich herum, als hätte Stourton mir seinen knochigen Finger in den Rücken gebohrt. Aber Zelda ließ sichtlich erleichtert das Taschentuch sinken.

»Das ist mein Sohn«, schniefte sie. »Ich hab ihn gleich angerufen, als ich den Brief bekam. Komm rein, Matthew!«, rief sie, während sie sich mit dem Handrücken über die verweinten Augen fuhr.

»Ich hoffe wirklich, es ist dringend, Zelda!«, hörte ich eine Stimme hinter mir sagen. »Ich war mitten in einer Wurzelbehandlung, als du angerufen hast! Also, was ist mit Ella?«

Ich drehte mich um und da stand er.

Der Vollbart.

Ich bin sicher, ich hatte nie zuvor in meinem Leben so dumm dreingeblickt, und ich hoffe, ich werde es nie wieder tun. Allerdings blickte der Vollbart auch nicht sonderlich klug drein, als er mich im Wohnzimmer seiner Mutter stehen sah.

»Oh Matthew, du hast ja immer noch diesen abscheulichen Bart!«, sagte Zelda, während sie sich mühsam vom Sofa erhob. »Wie oft muss ich dir noch sagen, dass du damit wie ein Idiot aussiehst?«

»Du weißt, warum ich ihn behalte«, sagte der Vollbart, während er sich bemühte, einen halbwegs vernünftigen Ausdruck auf sein Gesicht zu zwingen. »Oder glaubst du, die Narbe ist inzwischen verschwunden?«

»Was für eine Narbe?«, murmelte ich.

»Ach. Nur ein kleiner Unfall, als er mir noch mit den Geistertouren half«, sagte Zelda, während sie dem Vollbart einen hastigen Kuss auf die Backe drückte. »Jon, erzähl du Matthew die ganze schreckliche Geschichte. Ich brauch einen Kaffee. Ich kann nicht mehr klar denken. Hab mich um das letzte bisschen Verstand geheult!«

Damit schnaubte sie noch mal in ihr Taschentuch. Und ließ mich mit dem Vollbart allein.

Für einen Moment schwiegen wir uns nur unbehaglich an. Ich konnte immer noch nicht fassen, dass er Zeldas Sohn war. Er störte sich nicht mal an den Kröten, was ich für einen Zahnarzt ziemlich erstaunlich fand!

»Na, wenn das keine Überraschung ist«, sagte er schließlich. »Also, was ist mit Ella? Hast du sie zu irgendeiner Dummheit überredet, wie du es so gern mit deinen Schwestern tust?«

Aha. Keine Tarnung. Offene Feindschaft. Das war mir nur lieb.

»Es wär ihr nichts passiert, wenn du nicht dafür gesorgt hättest, dass Mam mich hierher schickt!«, fuhr ich ihn an. »Wirklich klug, mich in eine Stadt zu schicken, in der ein toter Mörder auf mich wartet! Ohne Ella wär ich schon lange ebenfalls tot! Aber wie konnte ich wissen, dass er zurückkommt und sich sie und nicht mich greift?«

Viel Sinn ergab das natürlich nicht und der Vollbart verstand ganz offensichtlich kein einziges Wort. Aber zu meiner Genugtuung blickte er nun doch etwas beunruhigt drein.

»Wer hat sich Ella gegriffen?«

Ich gab ihm den Brief – und erzählte die ganze verdammte Geschichte noch mal. Der Vollbart fing die Kröten ein, während ich erzählte – vielleicht beruhigte das seine Nerven –, und ich versuchte, mich an den Gedanken zu gewöhnen, dass der Freund meiner Mutter Ella Littlejohns Onkel war. Ich hätte sie zu gern gefragt, ob sie ihn ebenso wenig mochte wie ich, aber Ella war fort, und mir war vor Angst so übel, als hätte ich drei Teller von der abscheulichen Pilzsuppe gegessen, die sie uns mittwochs in der Schule auftischten.

Wo hatte Stourton sie hingebracht?

War sie noch am Leben oder hatte er aus ihr schon einen Geist gemacht?

Konnte er das?

Zelda kam mit dem Kaffee zurück, als ich gerade erzählte, wie Longspee Stourton das Schwert durch die Brust gestoßen hatte. Ich gebe zu, der Vollbart hatte bis dahin nicht eine dumme Frage gestellt. Im Gegenteil. Er hatte so ruhig zugehört, als hätte ich ihm erklärt, welcher meiner Zähne wehtat, wenn ich Eiscreme aß, und als ich schließlich erschöpft schwieg, nickte er nur, als erzählten ihm seine Patienten jeden Tag von mordenden Geistern und toten Rittern.

»Das ergibt leider alles Sinn«, sagte er und ließ sich in den zerschlissenen Sessel fallen, in dem sonst nur die Kröten hockten. »Stourton hat sich Ella statt Jon gegriffen, weil sie keine Internatsschülerin ist und es deshalb leichter war, an sie heranzukommen.«

»Aber wie kann er Briefe schreiben und ein Kind entführen? Er ist nichts als ein Schatten!«, rief Zelda und goss sich den Kaffee mit so zitternden Händen in die Tasse, dass der Vollbart ihr die Kanne abnahm.

»Ich habe dir schon immer gesagt, dass du ein sehr positives Bild von Geistern hast«, stellte er fest, während er sich auch eine Tasse eingoss. »Wie konnte er einen Brief schreiben? Erste Möglichkeit: Unser mörderischer Geisterlord hat einen lebenden Mann so in Angst und Schrecken versetzt, dass er Ella in seinem Auftrag aufgelauert und den Brief geschrieben hat. Zweite Möglichkeit ...« Er zögerte und warf mir einen schnellen Blick zu.

»Was?«, fragte ich gereizt. »Denkst du, ich bin nicht alt genug für zweitens? Ich wette, du bist noch nie von einem fünfhundert Jahre alten Mörder gejagt worden oder hast dich mit seinen Dämonenhunden rumgeschlagen!«

Das Ganze kam mir so angriffslustig über die Lippen, dass Zelda mir einen überraschten Blick zuwarf. Sie dachte schließlich, dass ich ihren Sohn gerade zum ersten Mal getroffen hatte.

»... die zweite Möglichkeit«, fuhr der Vollbart sichtlich unbeeindruckt fort, »ist, dass Stourton einen Mann im wahrsten Sinne zu Tode erschreckt und einen seiner Knechte mit seinem Körper ausgestattet hat.«

»Mit seinem Körper? Geister können tote Körper benutzen?« Meine Stimme war nur ein entsetztes Krächzen.

Zelda stellte die Tasse ab und setzte sich kerzengerade auf.

»Nein, können sie NICHT!«, sagte sie sehr entschieden. »Hör auf, dem Jungen solche Geschichten zu erzählen, Matthew! Du weißt, dass ich sie für kompletten Unsinn halte! Sie sind Hirngespinste, Aberglaube, nichts weiter! Stourton wird irgendeinen Bauern erschreckt haben, indem er nachts aus seiner Scheune geritten ist und ihm so viel Angst eingejagt haben, dass der Dummkopf den Brief geschrieben und Ella verschleppt hat, als sie zur Schule ging!«

Der Vollbart griff nach seinem Kaffee (natürlich trank er ihn ohne Zucker) und hüllte sich in bedeutsames Schweigen.

»Aber … aber ich versteh immer noch nicht, warum Stourton überhaupt noch hier ist!«, stammelte ich. »Longspee hat sie alle zur Hölle geschickt. Ich hab es gesehen!«

Der Vollbart verzog den Mund zu einem grimmigen Lächeln. »Du hast gesagt, Stourton hätte eine Hülle zurückgelassen.«

»Und?«

»Er ist ein Schlüpfer.«

Zelda verdrehte die Augen, aber der Vollbart war sichtlich in seinem Element. Ich hatte ihn erst einmal so leidenschaftlich über ein Thema reden hören – als er meiner Mutter die Auswirkungen von Limonade auf Kinderzähne erläutert hatte.

»Im Mittelalter«, fuhr er fort, »gab es den Aberglauben, dass ein Mann, der gehängt wurde, sich vor der ewigen Verdammnis schützen konnte, indem er die Haut einer Zwiebel mit seinem Blut tränkte und unter die Zunge steckte, bevor man ihn hängte. Auf die Art, hieß es, konnte er seinen Geist mit einer Hülle umgeben, die ihn vor der Hölle schützen und siebenmal nachwachsen konnte. Die Henker waren angewiesen, den Verurteilten deshalb unter die Zunge zu sehen, aber Stourton war reich genug, einen Henker zu bestechen.«

»Siebenmal?«, murmelte ich.

»Ja.« Der Vollbart nickte, als hätte ich nach der Anzahl seiner Plomben gefragt. »Wir können nur hoffen, dass die, die du gesehen hast, die siebte war. Wie viele Knechte, sagst du, hatte er bei sich?«

»Vier«, murmelte ich.

»Haben sie auch Hüllen hinterlassen?«

Ich schüttelte den Kopf.

»Hm.« Er zupfte sich am Bart, wie immer, wenn er nachdachte. »Wenn wir Glück haben, hat er nur einen zurückbringen können. Angeblich kann man Geister zurückrufen, wenn man ihnen den Körper eines Toten anbietet. Um all seine Knechte zurückzuholen, hätte Stourton vier Männer umbringen müssen. Das wäre in einem kleinen Ort wie Kilmington wohl aufgefallen. Andererseits, wenn sie die Leichen gleich als Körper benutzen ...«

»Oh Schluss, Matthew!« Zelda presste ihm ihre Hand auf den Mund. »Du hast schon immer eine Vorliebe für die finstersten Geschichten gehabt. Selbst, als du so alt wie Jon warst!«

»Aber wieso weiß er all das über Geister?«, fragte ich sie. »Seit wann wissen Zahnärzte so was? Oder hat er meine Mutter belogen und ist in Wirklichkeit irgendein geheimer Geisterjäger?«

»Deine Mutter?« Zelda sah den Vollbart verständnislos an. »Was hast du mit Jons Mutter zu tun?«

»Sie ist die Frau, mit der ich zusammenlebe, Mutter. Imogen Whitcroft. Ich habe sie dir vorgestellt! Eine von den Kröten ist ihr auf den Schoß gesprungen!«

Zelda musterte mich mit großen Augen. »Ach, dann ist Jon der verzogene kleine …?«

Der Vollbart ließ sie nicht aussprechen.

»Natürlich bin ich Zahnarzt!«, stellte er stattdessen mit deutlich beleidigter Stimme fest (ich hatte meine Zweifel daran eher als Kompliment gemeint). »Aber was erwartest du mit einer Mutter wie Zelda? Sie hat mich zu Dutzenden von Geistertouren mitgenommen, als ich in deinem Alter war. Für einige musste ich mich sogar verkleiden und selbst den Geist spielen! Seither lese ich alles über sie, was ich finden kann. Obwohl ich bislang enttäuschenderweise nicht einem begegnet bin.«

»Nun, das wird sich heute Abend wohl ändern«, stellte Zelda mit düsterer Miene fest.

Der Vollbart blickte nicht so drein, als ob ihn das mit freudiger Erwartung erfüllte – was mich nicht überraschte. Ich hielt ihn immer noch für jemanden, der sich in Büchern wesentlich besser als im wirklichen Leben auskannte, und konnte mir beim besten Willen nicht vorstellen, wie er uns gegen Stourton helfen sollte. Aber Zelda war wohl einfach niemand Besseres eingefallen. Ein Zahnarzt, eine alte Frau und ein Elfjähriger. Arme Ella!

Der Vollbart hatte den Brief auf den Teppich fallen lassen. Eine Kröte hatte sich draufgesetzt. Ich schubste sie zur Seite und las den Brief noch einmal.

»Was sitzen wir hier noch länger herum? Wir sollten sofort nach Kilmington fahren!«, sagte ich. »Vielleicht finden wir Ella ja, bevor es dunkel wird!«

Doch Zelda schüttelte nur resigniert den Kopf. »Ich bin sicher, Stourton wird erst mit ihr auf dem Friedhof auftauchen, wenn die Sonne untergeht.«

»Aber wo hält er sie dann fest?« Meine Stimme zitterte wie die eines Erstklässlers, was mir vor dem Vollbart ziemlich peinlich war, doch ich konnte es nicht ändern. Ich stellte mir Ella in irgendeinem finsteren Keller vor, bewacht von einem dieser schwarzen Hunde, und wünschte mir erneut, Longspee hätte mir beibringen können, sein Schwert zu benutzen, damit ich Stourton aus all seinen Häuten schneiden und für alle Zeit hätte zur Hölle schicken können.

»Ich bin immer noch sicher, dass er einem Bauern Angst eingejagt und ihn so zu seinem Helfershelfer gemacht hat«, sagte Zelda. »Also ist Ella vermutlich in seinem Haus. So hat Stourton es auch mit deinen Vorfahren gemacht, Jon. Erst hat er sie auf einer Farm gefangen gehalten und dann …« Sie brachte den Satz nicht zu Ende.

»Warum suchen wir dann nicht einfach nach dem Haus?«, rief ich.

»Wie?«, gab Zelda zurück. »Indem wir an jede Tür in Kilmington klopfen und sagen: »Entschuldigen Sie bitte, haben Sie ein elfjähriges Mädchen entführt, weil ein Geist Sie erschreckt …«

»… oder ermordet hat«, beendete der Vollbart ihren Satz – und fing sich dafür erneut einen strengen Blick ein.

Dann saßen wir alle da und schwiegen. Es war furchtbar. Ich hatte das Gefühl, Ella im Stich zu lassen, und das, nachdem ich ihr all den Ärger eingebrockt hatte. Dass wir uns gestritten hatten, als wir uns zuletzt gesehen hatten, machte es nur noch schlimmer.

Es war Zelda, die das Schweigen brach.

»Also gut, Matthew«, sagte sie. »Jon hat recht. Was sitzen wir hier noch herum? Lass uns nach Kilmington fahren. Ich will meine Enkelin zurück.«

Der Vollbart schluckte, aber schließlich nickte er und stand auf.

»Du gehst besser zur Schule zurück, Jon«, sagte er. »Womöglich haben sie deine Mutter schon angerufen, und sie fragt sich, wo du bist.«

»Hast du den Brief nicht gelesen?«, fuhr ich ihn an. »Sie geben Ella nur raus, wenn Zelda mich mitbringt! Ich komm mit!«

Zelda warf dem Vollbart einen ratlosen Blick zu.

»Ich komm mit!«, wiederholte ich. »Keine Diskussion.«

Zelda sah mich an und wischte sich die Tränen aus den Augen.

»Danke, Jon!«, murmelte sie. »Disteldreck, nun beschlagen mir wieder die Brillengläser.«

»Aber du kannst ihn nicht mitnehmen!«, protestierte der Vollbart. »Seine Mutter wird mich umbringen! Es ist zu gefährlich, Zelda!«

»Matthew, wenn Jon nicht mitkommt, wird, wer immer diesen Brief geschrieben hat, Ella umbringen!«, erwiderte Zelda.

Darauf fiel dem Vollbart keine Antwort ein. Nicht mal eine dumme.

»Vielleicht sollten wir doch die Polizei benachrichtigen«, sagte er schließlich mit wenig überzeugter Stimme.

»Polizisten glauben nicht an Geister, Matthew«, sagte Zelda und humpelte zu dem Schrank, in dem sie ihre Autoschlüssel aufbewahrte. »Außerdem heißt es, wir sollen allein kommen.«

»Und was ist mit seinem Ritter?« Der Vollbart zog sich die Jacke an.

»Natürlich!« Zelda fuhr herum und sah mich hoffnungsvoll an. »Jon! Warum hast du Longspee noch nicht gerufen?«

Ich wusste nicht, wo ich hinsehen sollte. »Weil er vielleicht auch ein Mörder ist«, brachte ich schließlich hervor. »Und davon werden wir heute Abend wohl schon genug haben, oder?«

13
Die Kirche der Hartgills

Der Friedhof von Kilmington liegt am Ende einer schmalen, verschlafenen Straße, die wahrlich nicht so aussieht, als ritten nachts tote Mörder an den Häusern vorbei. Zu seiner Rechten steht immer noch das Haus, in dem einst die Hartgills wohnten. Natürlich hat es sich in den letzten fünfhundert Jahren verändert, aber was uns alle für einen Moment erstarren ließ, war das »ZU VERKAUFEN«-Schild, das vor dem Gartentor stand. Ich bin sicher, jeder von uns dachte dasselbe: dass die Bewohner es entweder leid waren, neben einem Friedhof zu wohnen, auf dem eine Bande toter Mörder spukte, oder, falls der Vollbart mit seinen Geschichten recht hatte, nicht mehr lebten. Ich entschied mich, über die zweite Möglichkeit vorerst nicht nachzudenken.

Das Tor in der hohen Hecke, die den Friedhof umgibt, war abgeschlossen, also kletterten ich und der Vollbart hinüber. Zelda versuchte es auch, aber schließlich musste sie mit grimmiger Miene unsere Hilfe annehmen. Ich glaube, sie konnte sich nur schwer mit der Tatsache abfinden, dass sie tatsächlich schon fünfundsiebzig war.

Hinter der Hecke war es so still, dass ich meinen eigenen Herzschlag zu hören glaubte, aber die Stille hatte nichts Friedliches. Sie schien erfüllt von Seufzern und stummen Schreien – als hätte die Erde selbst die Erinnerung an das bewahrt, was hier vor langer Zeit geschehen war. Die Mauern der Kirche, die zwischen den Grabsteinen stand, waren zerfurcht wie das Gesicht eines alten Mannes, und ihre dunklen Fenster sahen aus wie Augen, die uns beobachteten.

»Nach Stourtons Namen brauchst du hier nicht zu suchen«, sagte Zelda, als ich die Grabsteine musterte. Die meisten waren so verwittert, dass sie wie schlechte Zähne aus dem kurzen Gras ragten. »Er wurde in Stourhead begraben, dem Besitz der Stourtons. Ich habe mich immer gefragt, warum er nicht dort spukt. Dieser Friedhof ist nicht mal der Ort des Mordes. Hier wurde William Hartgill noch durch den Heldenmut seines Sohnes gerettet.«

»Wer weiß. Vielleicht mag Stourton die Touristen in Stourhead nicht«, sagte der Vollbart, während er sich umsah.

Der Himmel verdunkelte sich schon, aber die Sonne würde frühestens in einer Stunde untergehen. Was, wenn sie Ella bis dahin längst zu Tode erschreckt hatten? Mein Herz zog sich zusammen wie eine Faust.

»Ella?«, rief ich. »Ella!«

Natürlich kam keine Antwort. Fang bloß nicht an zu heulen, Jon Whitcroft!, befahl ich mir. Der Vollbart wird es als weiteren Beweis dafür nehmen, dass du ein verzogener Schwächling bist, und Ella würde es auch nicht gefallen! Aber es half nichts. Die Tränen stiegen mir trotzdem in die Augen.

Zum Glück lenkte Zelda mich ab.

»Komm mit, Jon«, sagte sie. »Ich will dir etwas zeigen.«

Die Kirche war auch abgeschlossen, aber der Vollbart knackte das Schloss mit einem Stück Draht.

»Wer sich gern verlassene Häuser ansieht, in denen es angeblich spukt, muss so etwas können«, sagte er nur, als er meinen entgeisterten Blick bemerkte.

Ich fragte mich, ob meine Mutter diese Seite des Vollbarts kannte, aber ich entschied mich, ihr besser nichts davon zu erzählen. Womöglich würde sie ihn wegen dieser Talente nur noch aufregender finden.

Die Luft hinter den Kirchentüren roch nach Wachs und welkenden Blumen und war so kalt wie der Atem eines Geistes.

»Hier lang«, sagte Zelda und winkte mich den Mittelgang hinunter. Ein paar Schritte entfernt vom Altar blieb sie stehen.

»Da liegen sie«, sagte sie und wies auf die Gedenksteine, die vor uns in den Kirchenboden eingelassen waren. »Lauter Hartgills. Vermutlich sind die zwei Ermordeten auch hier begraben. Deine Mutter hat dich nie hergebracht?«

Ich musterte die in die Fliesen gemeißelten Namen und schüttelte den Kopf. »Ich glaub, Mam weiß nicht mal von diesem Ort«, murmelte ich. »Sie macht sich nichts aus Ahnenforschung.«

»Ja, das ist wahr.« Der Vollbart lachte leise. »Im Gegenteil. Imogen macht sich lustig über Leute, die in ihrer Familiengeschichte herumstöbern.«

Der Blick, den ich ihm dafür zuwarf, war sicher alles andere als freundlich. Ich konnte mich immer noch nicht damit abfinden, dass er so viel über meine Mutter wusste.

Zelda winkte mich weiter zu einem der Fenster zu unserer Rechten.

»Dieses Fenster wurde zum Andenken von John und William Hartgill angefertigt«, sagte sie. »Einer ihrer Nachfahren gab es in Auftrag. Es ist schön, oder?«

Ich nickte. Es war ein seltsames Gefühl herauszufinden, dass ich Vorfahren hatte, die auf Bleiglasfenstern zu sehen und unter Kirchenfußböden begraben waren. Ich war nicht sicher, ob es etwas war, auf das man stolz sein konnte, aber irgendwie war ich es. Ich sah sie plötzlich alle in einer langen Reihe hinter mir stehen, all die, die ihren Namen an meine Mutter weitergegeben hatten. Irgendwann waren sie so jung wie ich gewesen. Sie hatten ihre Mütter geliebt und ihre Schwestern geärgert und vielleicht hatten einige von ihnen sich sogar mit einem Vollbart herumschlagen müssen. Ich fühlte sie in meinen Knochen und in meinem Blut. Ich hörte sie wie einen Chor von Stimmen in meinem Herzen. Es hatte so viele von ihnen gegeben, und dieser Gedanke war beruhigend und erschreckend zugleich. All die Namen auf den Kirchenfliesen erinnerten mich sehr deutlich daran, dass auch mein Name irgendwann auf einem Grabstein stehen würde.

Zelda riss mich erneut aus meinen Gedanken und auch diesmal war ich ihr dankbar dafür.

»Ich glaub, es wird bald dunkel werden«, sagte sie. »Matthew, du versteckst dich am besten zwischen den Bäumen neben dem

Tor, während Jon und ich in der Kirche bleiben. Ruf mich auf dem Handy an, sobald du jemanden oder etwas da draußen siehst. Sobald wir von dir hören, kommen wir raus. Dann tun wir so, als tauschten wir Jon gegen Ella aus, und wir lenken sie ab, sobald sie Ella freilassen, damit die Kinder in die Kirche rennen können.«

Das hörte sich nicht gerade nach einem ausgefeilten Plan an, wenn wir es mit Stourton und mindestens einem lebenden Mann aufnehmen mussten (ich hoffte immer noch, dass Stourtons Helfer lebendig und nicht, wie vom Vollbart prophezeit, nur das Leichenkleid für einen von Stourtons Knechten waren). Ganz abgesehen davon, dass wir in der Kirche wohl kaum für alle Zeit sicher sein würden. Aber wie auch immer – mir fiel nichts Besseres ein, und der Vollbart schien mit der Rolle, die er spielen sollte, kein Problem zu haben, also hielt ich den Mund.

»Gut, so machen wir's«, sagte er zu Zelda. »Die Flinte nehm ich wohl besser, oder?«

Die Flinte? Ich schluckte.

»Matt hat als Junge immer auf die Füchse und Falken geschossen, die seine Kaninchen holen wollten«, erklärte Zelda, als ich den Vollbart erneut ungläubig musterte. »Auf die Art ist er ein ziemlich guter Schütze geworden. Und er hat nur ein einziges Kaninchen verloren.«

»Ja, von dem Fuchs träume ich immer noch«, murmelte der Vollbart, und zum ersten Mal glaubte ich den Jungen zu sehen, der er mal gewesen war. Ich konnte nur den Bart in meiner Vorstellung nicht loswerden, was ihn ziemlich seltsam aussehen ließ.

»Gut«, sagte er. »Ich bin etwas aus der Übung, aber ich versuch mein Bestes. Nur worauf genau soll ich schießen? Schrot fügt Geistern wohl keinen Schaden zu, oder?«

»Schieß auf den Lebenden!«, erwiderte Zelda mit grimmiger Miene. »Disteldreck. Er hat Ella entführt!«

Der Vollbart schluckte.

»Ich sag es noch mal, Mam«, sagte er. »Es wird keine Lebenden geben. Und ich hoffe, ich habe recht, denn es wird mir wesentlich leichter fallen, auf einen Toten zu schießen. Auch wenn ich fürchte, dass den eine Ladung Schrot nicht aufhalten wird.«

Darauf sagte Zelda nichts.

»Ich schwöre es bei meinen Kröten«, murmelte sie nur grimmig. »Wer immer auf diesem Friedhof auftaucht, wird ihn nur unbeschadet verlassen, wenn ich meine Enkeltochter zurückbekomme, und zwar ohne einen Kratzer!«

Ihre Hände zitterten, als sie ein Taschentuch aus der Manteltasche zog und sich damit die beschlagenen Brillengläser putzte. Der Vollbart legte ihr tröstend den Arm um die Schulter. Dann wandte er sich um und ging auf die Kirchentür zu. Als er sie öffnete, sahen wir, das Zelda recht hatte. Es wurde bereits dunkel.

»Matthew, warte!«, rief Zelda dem Vollbart nach. »Im Auto liegen die Krücken, die der Doktor mir verschrieben hat. Bring sie mir, bevor du dich versteckst. Sie könnten nützlich sein.«

Eine Flinte und zwei Krücken. Das klang nach keiner sonderlich wirksamen Bewaffnung gegen Stourton. Ich blickte auf meine Hand, in der der Abdruck von Longspees Löwen immer noch deutlich zu sehen war. Die Versuchung war groß, meine Finger zu schließen, aber ich ließ die Hand sinken. Ich konnte den Choristen einfach nicht vergessen. Vielleicht war das die Dunkelheit, die Longspee quälte. Dass er nicht viel besser war als die, vor denen er mich beschützt hatte. Vielleicht war er nur deshalb noch hier. Vielleicht waren alle Geister entweder Mörder oder deren Opfer. Hatte sich mein Vater etwa je als Geist sehen lassen? Nein.

Angst macht finstere Gedanken. Und es sind nicht immer die klügsten.

Wie auch immer. Es war kein gutes Gefühl, mit leeren Händen auf Stourton zu warten.

»Du kannst eine der Krücken haben, Jon!«, sagte Zelda, als hätte sie meine Gedanken gelesen. Vielleicht war sie doch eine Hexe. Sie drückte mich so fest an sich, als wollte sie mir die Rippen brechen.

»Ich danke dir so sehr, dass du mitgekommen bist!«, sagte sie. »Du bist ein wahrer Freund. Man kann nichts Kostbareres im Leben finden. Ella hat wirklich Glück, dass sie dich hat!«

»Ach, is' schon gut!«, murmelte ich. »Ella würde dasselbe für mich tun.«

»Ja, da hast du recht. Das würde sie«, sagte Zelda. »Aber trotzdem danke!«

14

Körperkleider

Wir warteten. Es kam mir vor wie Wochen, Monate, Jahre. Zelda ging vor dem Altar auf und ab, auf und ab, auf und ab, während ich in einer der Bänke saß, in denen vielleicht auch schon meine Vorfahren gesessen hatten, und mich fragte, ob Ella noch am Leben war. In Filmen und Büchern fühlen die Helden immer, ob es denen, die sie lieben, gut geht oder nicht. Seit der Nacht in Kilmington glaube ich an so etwas nicht mehr. Ich fühlte nichts, absolut nichts – außer Angst und hilfloser Wut. Ich vermisste Ella. Ich vermisste sie so sehr, als hätte Stourton mir einen Arm oder ein Bein abgeschnitten. Wie konnte das sein? Ich kannte sie kaum länger als eine Woche, und außerdem war sie immer noch ein Mädchen.

»Die besten Freunde«, hat meine Mutter mal zu mir gesagt, »finden wir oft in den dunkelsten Zeiten, weil wir ihnen nie vergessen, dass sie uns geholfen haben, aus der Dunkelheit herauszufinden.«

Meine Mutter sprach dabei sicher nicht von Zeiten, in denen sie von einem rachsüchtigen Geist gejagt worden war. Aber ich denke, es gibt viele Arten von Dunkelheit, und jeder von uns bekommt irgendwann irgendeine Art davon zu sehen, und dann – braucht man jemand wie Ella oder man geht darin verloren.

Als Zeldas Handy klingelte, sprang ich so überstürzt aus der Bank, dass ich ausrutschte und mit den Knien auf dem Namen Hartgill landete. Meine Hand zitterte, als sie sich um eine der Krücken schloss, die der Vollbart gegen den Taufbrunnen gelehnt hatte. Als ich Zelda zur Tür folgte, kam es mir vor, als sähen uns alle Hartgills nach, voller Hoffnung, dass wir schaffen würden, was die Seidenschlinge nicht vollbracht hatte: sie endlich von Stourton zu befreien und Rache zu nehmen für die zwei Morde, mit denen alles begonnen hatte. Aber mich interessierte all das nicht wirklich. Ich wollte nur Ella zurück, ohne einen Kratzer, wie Zelda gesagt hatte.

Es war eine kalte Nacht. Zwischen den Grabsteinen hatte sich Nebel gebildet, so weiß und feucht, als atmeten die Toten unter der Erde ihn aus, und in dem Dunst warteten vier Männer. Man sah ihnen auf den ersten Blick an, dass etwas mit ihnen nicht stimmte. Sie sahen aus, als passte ihnen ihre Haut nicht mehr, und ihre Gesichter waren so ausdruckslos wie Gummimasken. Der Vollbart hatte recht gehabt. Geister konnten tote Leiber wie Kleider tragen, und Stourton hatte nicht nur einem, sondern allen seinen Knechten ein solches Kleid beschafft. Das Herz gefror mir in der Brust, und ich konnte vor Angst kaum atmen, während meine Finger sich fester um Zeldas Krücke schlossen. Aber meine Augen suchten zwischen den Gräbern nur nach einer Gestalt.

»Wo ist meine Enkeltochter?«, fuhr Zelda die Kreaturen an, die einmal Männer gewesen waren. Kein beneidenswertes Schicksal, als Körperkleid für die Seele eines Mörders zu enden!

Zeldas Stimme zitterte nicht ganz so sehr, wie meine Hände es taten, aber es tröstete und erschreckte mich zugleich, dieselbe Furcht darin zu hören, die ich selbst empfand.

Stourtons Knechte antworteten ihr nicht. Mit dem Reden haben Tote vermutlich so ihre Schwierigkeiten. Aber einer von ihnen drehte sich um und zerrte Ella hinter einem der Grabsteine hervor.

Sie sah furchtbar blass aus. Ihre Augen waren weit vor Angst, aber ich sah auch eine gute Portion Zorn darin. Sie hielt sich sehr gerade, und als einer der Toten ihr in das lange Haar griff, trat sie ihn gegen die Knie. Tapfere Ella.

»Lass sie los!«, schrie ich und fuchtelte mit meiner Krücke, obwohl ich nicht viel Hoffnung hatte, dass sie bei jemandem, der eh tot war, irgendwelchen Schaden anrichten konnte.

Der links von Ella stieß ein hässliches Lachen aus und griff ihr erneut ins Haar. Als er sprach, klang es, als passte seine Zunge ihm ebenso wenig wie seine neuen Glieder.

»Deine Freundin bleibt hier, Hartgill«, lallte er, »bis der Seidene Lord kommt, um dich zu holen. Er ist schon auf dem Weg!«

»Darauf sollten wir nicht warten!«, zischte Zelda mir zu, aber gerade als sie ihre Krücke fester umklammerte, setzte der bleiche Reiter über das Friedhofstor, der mich so viele Tage und Nächte in Angst versetzt hatte. Diesmal war er wie Longspee von Licht umgeben, aber das seine färbte den Nebel so schmutzig grün wie Schimmel ein altes Brot.

Er sah in seiner neuen Haut noch furchterregender aus. Die wievielte ist es?, flüsterte es in meinem Kopf, aber ich war ziemlich sicher, dass ich die Antwort nicht erleben würde. Sein Pferd scharrte auf den Gräbern, als wollte es die Toten darin wecken, aber der Seidene Lord hatte nur Augen für mich. Sie brannten in seinem Kopf, als stünde seine dunkle Seele in Flammen.

»Da bist du ja, Hartgill!«, schnarrte er. »Worauf wartest du noch? Komm her!« Er sprach mit mir, als wäre ich einer seiner Knechte oder Stalljungen. Aber ich war immer noch der Knappe eines Ritters – auch wenn dieser Ritter vielleicht selbst ein Mörder war.

»Nicht, bevor du Ella gehen lässt!«, rief ich – und verfluchte die Angst, die meine Stimme so schrill klingen ließ wie die eines Erstklässlers.

Aber Ella hatte zu der ganzen Sache natürlich auch eine Meinung.

»Ich werd nirgendwo hingehen, Jon Whitcroft!«, rief sie. »Was glaubst du? Dass ich mit Zelda seelenruhig nach Hause fahr, während diese Monster dir den Kopf abschlagen oder sonst was mit dir machen?«

Den Kopf abschlagen ... ich schluckte. Sie hatte wirklich eine ganz eigene Art, die Dinge auf den Punkt zu bringen.

»Ella!«, rief Zelda. »Tu, was Jon sagt. Komm zu mir und alles wird gut!«

Ella zögerte, und bevor sie gehorchen konnte, packte der Knecht, der hinter ihr stand, sie erneut. Ella stieß mit dem Ellbogen nach ihm, aber als der Knecht die Hand hob, um sie dafür zu schlagen, hielt Stourton ihn mit einem scharfen Zischen zurück.

»Lass sie gehen!«, fauchte er. »Ich will nur den Jungen! – Nicht, dass ich ihn nicht ohnehin bekommen würde!«, setzte er mit einem abscheulichen Lächeln hinzu.

Er sah toter aus als je zuvor. Das Gebiss in seinem lippenlosen Mund war so verrottet, als hätte er es aus einem der Gräber gestohlen. Sein Haar war nicht länger grau, sondern weiß. Es hing ihm so ausgedünnt auf die Schultern herab, dass es eher Spinnweben als Haaren glich, und seine neue Haut spannte sich über den Knochen, als wäre sie ihm wie ein Leichenhemd aufs Skelett geschneidert worden. Seine Männer waren kein appetitlicherer Anblick und sie gehorchten ihm in den neuen Körpern ebenso fraglos wie in Geistergestalt. Kein Wunder. Schließlich hatten sie Jahrhunderte Übung darin.

Ella zögerte immer noch, bis Stourtons Knecht sie schließlich unsanft in unsere Richtung stieß, ihre Augen fragten bei jedem Schritt, den sie auf uns zumachte, was genau der Plan war.

Es ist nicht wirklich ein Plan, Ella, dachte ich, während ich mich auch auf den Weg machte – auf Stourton zu, der die knochige Hand schon am Schwert liegen hatte. Sein Schwert kann dir nichts anhaben, Jon!, wiederholte ich mir bei jedem zittrigen Schritt. Es kann dir nichts anhaben, vergiss das nicht!

An das, was die toten Männer tun konnten, versuchte ich einfach nicht zu denken.

Ella und ich kreuzten die Wege zwischen zwei Kindergräbern, was wirklich nicht sehr ermutigend war. Na, komm schon, Vollbart!, dachte ich, als wir so dicht aneinander vorbeigingen, dass ich nach Ellas Hand hätte greifen können – und erinnerte mich leicht panisch daran, dass meine Mutter sich ständig darüber beschwerte, dass er zu allem und jedem zu spät kam.

Der Schuss kam im selben Moment. Er traf einen der Knechte in den Rücken und riss ihn herum.

»Renn, Ella!«, schrie ich, während ich ihr einen Stoß in Zeldas Richtung gab.

Der nächste Schuss kam aus den Büschen neben dem Tor und ich hörte Stourton auf sehr altmodische und ziemlich üble Weise fluchen.

Sieh dich nicht um, Jon!, befahl ich mir, während Ella und ich auf Zelda und die offene Kirchentür zurannten. Zelda schwang ihre Krücke wie Zeus seinen Blitzstrahl, aber ich hörte die Hufschläge schon hinter mir, so geisterhaft leicht, dass sie nur noch bedrohlicher klangen. Verdammt, Jon, sieh dich nicht um!, dachte ich noch mal. Er kann dir nichts anhaben! Aber im selben Moment spürte ich eine Hand meinen Nacken packen, eine eiskalte, aber sehr starke Hand. Sie warf mich zu Boden und ein hässliches Gesicht starrte auf mich herab. Vermutlich war es im Leben gar nicht sonderlich hässlich gewesen, aber nun war es ganz verrutscht und verzerrt von Bosheit.

»Du gehst nirgendwohin, Hartgill!«, grunzte Stourtons Knecht und setzte mir den schlammigen Stiefel auf die Brust.

Ich sah Ella wie angewachsen zwischen den Grabsteinen stehen.

»Renn, Ella!«, schrie ich, aber sie rührte sich nicht, und ein weiterer Toter – ein magerer Kerl mit kurzem blondem Haar – griff sie sich, während ein dritter auf Zelda zustapfte. Sie hieb ihm die

Krücke mitten auf den kahlen Kopf, aber er stieß nur ein wenig erfreutes Grunzen aus und zog sie Zelda so mühelos aus den Händen, als nähme er einem Baby die Rassel weg. Dann zerrte er Zelda wortlos auf seinen grässlichen Herrn zu.

Stourton saß reglos auf seinem Pferd und beobachtete mit ausdrucksloser Miene, wie seine Knechte die menschliche Beute einsammelten. Ich blickte mich nach dem Vollbart um und entdeckte ihn ausgestreckt zwischen den Grabsteinen, die Flinte neben sich. Für einen Moment machte ich mir tatsächlich Sorgen um ihn, aber Stourton gab mir keine Gelegenheit, diesem überraschenden Gefühl gründlicher nachzuforschen.

»Bringt die Kinder auf den Turm!«, befahl er.

Seine Stimme war wie die schlechte Kopie einer Stimme, hohl und klanglos. Aber das Geräusch, das ich hinter mir hörte, war viel furchtbarer. Zelda weinte. Sie fluchte, während sie schluchzte, aber trotzdem – ihre Tränen sagten es mehr als deutlich: Wir waren verloren. Keine Rettung in Sicht. Ende der Vorstellung.

»Ich bring dich um, Stourton!«, schrie ich, während zwei seiner Knechte mich auf die Kirchentür zuzerrten. »Ich bring dich um, du madenzerfressener Dreckskerl!«

»Und wie willst du das anstellen, Hartgill?«, erwiderte Stourton, während er gemächlich vom Pferd stieg. »Ich bin schon tot, hast du das vergessen? Nicht mal dein ritterlicher Freund konnte mir etwas anhaben.«

Ich sah zu Ella hinüber. Sie hatte die Lippen fest aufeinandergepresst, aber immer noch keine Träne in den Augen. Bei meinen war ich mir da nicht so sicher.

Die Tür, die zum Turm hinaufführte, war so niedrig, dass sie für Kinder gemacht schien. Der Knecht, der uns folgte, blieb fast in ihr stecken. Er stieß mir immer wieder die Faust in den Rücken, während ich Ella die ausgetretenen Stufen hinauffolgte. Auf halber Höhe kamen wir an einem fensterlosen Raum vorbei, von dem ich gelesen hatte. William Hartgill hatte sich darin vor Stourton versteckt, während sein Sohn den ganzen weiten Weg nach London geritten war, um Hilfe zu holen. Alles umsonst. Am Ende hatte Stourton ihn doch getötet. Genau wie dich, Jon, dachte ich. Aus der Rache wird nichts. Und diesmal wird der Hartgill-Fluch auch eine Littlejohn das Leben kosten. Der Gedanke war noch schlimmer als die Angst, die ich um mich selbst hatte.

»Jon!«, flüsterte Ella, als wir fast oben waren. »Wo ist Longspee?«

Natürlich. Sie wusste nichts von dem toten Choristen und dem, was er mir erzählt hatte. Ja, wo war er … ich wollte ihn rufen, seit Stourton über das Friedhofstor gesetzt hatte, aber ich konnte mich an nichts als seine Dunkelheit erinnern, und der Gedanke, dass ich vielleicht einem Mann vertraut hatte, der einen Jungen getötet hatte, der nicht älter gewesen war als ich, lähmte mir die Finger jedes Mal, wenn ich sie über seinem Siegel schließen wollte.

»Er hat den Choristen aus dem Fenster gestoßen!«, flüsterte ich ihr zu. »Er ist auch ein Mörder!«

Ella warf mir einen Was-ist-das-nun-wieder-für-eine-Jungen-Dummheit?-Blick zu.

»So ein Blödsinn!«, flüsterte sie zurück. »Ruf ihn! Sofort!«

Oh, wo war sie gewesen? Jedes Wort fuhr mir wie frischer Wind durch die finsteren Gedanken.

Wir hatten die niedrige Holztür erreicht, die hinaus auf das Turmdach führte. Der Knecht schubste uns nach draußen. Stourton folgte ihm. Die Nacht schwärzte ihm die bleichen Glieder, und sein Gesicht war so durchsichtig, als könnte ihn ein Windstoß auslöschen. Aber der lebende Leichnam neben ihm duckte sich wie ein Hund, sobald er in seine Richtung sah.

»Zu schade, Hartgill, dass ich dich nicht eigenhändig in die Tiefe stoßen kann!«, sagte Stourton, während er sich die bleichen Kleider glatt strich. »Aber ich schlüpfe nicht gern in den toten Körper irgendeines Bauern.«

Der tote Mann, der neben ihm stand, machte einen Schritt auf Ella zu.

Ich stellte mich schützend vor sie, auch wenn sie versuchte, mich zurückzuzerren.

»Du bist so ein jämmerlicher Lügner!«, stammelte ich (mehr brachten meine zitternden Lippen nicht zustande). »Weißt du, was ich denke? Dass du dich noch nie getraut hast, jemand eigenhändig umzubringen. Das hast du schon immer andere machen lassen!«

Meine Finger tasteten nach Longspees Siegel.

»Ja! Ich wette, deshalb traust du dich nicht in die Hölle!«, schrie ich. »Weil du …«, Ella griff warnend nach meinem Arm, aber ich war einfach zu wütend, um den Mund zu halten, »weil du verdammter Dreckskerl nicht einen einzigen Mord auf dem eigenen Gewissen hast!«

Stourtons rote Augen verdunkelten sich. Ich konnte sein Skelett unter der pergamentenen Haut sehen, als trüge er ein abscheulich gutes Halloween-Kostüm.

»Ach ja?«, raunte er und machte einen Schritt auf mich zu. Dann presste er die bleiche Hand direkt auf mein Herz.

Ich sah Blut. Es klebte mir an den Kleidern. Ich war Stourton und stand auf einem dunklen Feld. Vor mir lagen zwei gefesselte Männer. Ihre Gesichter waren blutverschmiert, aber sie lebten noch. Einer meiner Knechte ließ den Knüppel sinken, als ich ihm auffordernd die Hand hinhielt. Er drückte mir ein Messer in die Hand. Der Griff war glatt und kühl und in der Klinge spiegelte sich das Licht einer Fackel. Ich wusste, was ich tun würde. Und dass ich mich darauf freute …

Es war ein schreckliches Gefühl. Schrecklicher als alles, was ich je gefühlt hatte.

Aber plötzlich war das Messer fort. Alles war fort, das dunkle Feld, die gefesselten Männer … und stattdessen lag Stourtons bleiche Hand vor meinen Füßen, abgeschlagen gleich unter dem Handgelenk.

»Vergiss, was du gesehen hast, Jon!«, sagte Longspee und schob sich vor mich. »Vergiss es, hörst du?«

Sein Schwert schimmerte von Stourtons geisterbleichem Blut.

Ich spürte, wie Ella nach meiner Hand griff. Sie zog mich zurück, bis wir hinter uns die Mauer des Turmes fühlten. Sie reichte uns kaum bis zu den Schulterblättern, und ich glaubte den Abgrund, der hinter ihr gähnte, wie Eis im Nacken zu spüren.

»Oh nein, nicht schon wieder du, ach so edler Ritter!«, spottete Stourton, während er sein Schwert zog. »Willst du mir noch eine

Haut zerschneiden? Gib dir keine Mühe. Du kannst mir nichts anhaben, auch wenn du dich noch so oft mit mir schlägst. Du trägst den falschen Namen, um mich zur Hölle zu schicken.«

Einer der Knechte, die mit uns auf den Turm gestiegen waren, trat an die Seite seines Herrn. Und vor der Tür, hinter der die rettende Treppe nach unten lag, stand der zweite Wache. Die beiden anderen waren bei Zelda und dem Vollbart geblieben.

»Der falsche Name?«, fragte Longspee. »Welchen Namen würde ich brauchen?«

Stourton lachte. Aus seinem Ärmel wuchs eine neue Hand – ihre Finger spreizten sich wie die Blätter einer fleischfressenden Blüte, während die Hand, die Longspee abgeschlagen hatte, auf dem Turmdach welkte und zerfiel.

»Was denkst du, edler Ritter? Ich höre den alten Mann immer noch seinen Fluch schreien, bevor er starb. *Ein Hartgill soll dich zur Hölle schicken, Stourton! Nur ein Hartgill!* Aber stattdessen schicke ich sie seit fünf Jahrhunderten zur Hölle, aus Rache für das seidene Seil. Und nicht einer ist zurückgekommen, um den Fluch des alten Mannes wahr zu machen. Sie sind wie Lämmer, traben zur Schlachtbank und verlöschen. Der Junge, den du so selbstlos beschützt, wird denselben Weg gehen, und zwar heute Nacht.«

Sein Knecht wollte einen Schritt auf mich zumachen, aber Longspee richtete warnend die Schwertspitze auf ihn.

»Denkst du, das tote Fleisch kann dich beschützen?«, sagte er. »Ich werde dein schwarzes Herz so gründlich durchbohren, dass du deinen Herrn am Tor der Hölle erwarten wirst.«

Der Knecht zögerte, das tote Gesicht angstverzerrt.

»Worauf wartest du?«, fuhr Stourton ihn an. »Greif dir die Kinder und stoß sie über die Mauer, oder ich schick dich eigenhändig zur Hölle!«

Der Knecht machte erneut einen Schritt auf uns zu.

Aber Longspees Schwert war schnell wie eine Flamme, und der Knecht fiel wie ein aufgeschlitzter Sack und erfüllte die Luft mit so üblem Gestank, als löste seine verrottete Seele sich in der Nachtluft auf. Longspees Gestalt leuchtete so hell, als bestünde er aus weißem Feuer, und der Knecht, der an der Treppe stand, wandte sich entsetzt zur Flucht, aber Stourton stieß ihm mit einem Fluch das Schwert in den Rücken. Dann wandte er sich wieder zu Longspee um. Sein Gesicht hatte nichts Menschliches mehr, und seine Haut wehte ihm in Fetzen von den Knochen, als schälte seine eigene Wut sie ihm vom Leib.

»Jon, lauft zur Treppe!«, rief Longspee, während er Ella und mich mit seinem Körper deckte.

Stourtons Gestalt färbte sich schmutzig rot, als tränkte all das Blut, das er vergossen hatte, ihm die Glieder. William aber leuchtete so hell wie das weiße Herz einer Flamme, und es war mir egal, was der Chorist erzählt hatte. Ich sah nur das Licht und war wieder Longspees Knappe, was immer er getan hatte, was immer ihn auf Erden hielt.

»Ella, lauf!«, rief ich. »Ich bleib bei ihm.«

Aber natürlich rührte sie sich nicht. Ich versuchte, sie zur Treppe zu zerren, aber sie ist noch heute stärker als ich.

»Lass mich!«, stieß sie hervor. »Hast du nicht gehört, was Stourton gesagt hat? Jon, DU musst ihn umbringen! Du bist der Hartgill, der ihn zur Hölle schicken wird!«

»Ach ja?«, gab ich atemlos zurück. »Und wie soll ich das anstellen?«

Ich sah Ella an, dass sie darauf auch keine Antwort hatte.

Stourton bleckte die verrotteten Zähne wie einer seiner Hunde, aber sein Schwert war leichter als Longspees, und er wehrte es ohne Mühe ab.

»Was macht ihr noch hier, Jon? Verschwindet!«, rief William mir zu, während er einen weiteren Hieb abwehrte.

Aber wir rührten uns nicht.

DU musst ihn umbringen, Jon.

Sie schienen eine Ewigkeit zu kämpfen – zwei Geister, der eine so dunkel, der andere so hell. Es gab keine Zeit mehr, nur die zwei Männer, die nicht sterben konnten, und Ella und mich. Schließlich trieb Longspee Stourton gegen die Mauer und stieß ihm das Schwert ins Herz. Aber der Seidene Lord streifte erneut eine bleiche Hülle ab, und nahm Gestalt in einer weiteren an, blutrot über seinen bleichen Knochen.

»Ich habe viele Häute, edler Ritter«, höhnte er. »Und all das Blut, das ich vergossen habe, hat sie nur haltbarer gemacht. Was ist mit dir? Kehr in deine Gruft zurück, bevor ich dir deine edle Hülle zerschneide und dich in der Hölle zu meinem Diener mache. Du bist so blass als Geist, wie du es als Lebender gewesen bist. Hilfloser Bastard. Machtloser unter mächtigen Brüdern!«

Er hieb sein Schwert mit solcher Wut gegen Longspees Schild, dass William stolperte und Stourtons Klinge ihm tief in die schimmernde Schulter fuhr. Licht strömte aus der Wunde wie verdampfendes Blut und ich stolperte mit einem Wutschrei auf die beiden Kämpfenden zu.

Diesmal wartete ich nicht auf Longspees Erlaubnis. Ich trat geradewegs in sein Licht. Ich spürte, wie mein Fleisch sein Fleisch wurde, bis ich groß und stark war und den Schwertknauf in meiner Hand hielt. Ich war Jon und ich war William. Ich war Longspee und Hartgill. Ich war Mann und Junge, Ritter und Knappe, voll Angst und furchtlos zugleich, jung und fast tausend Jahre alt, alles in einem. Ich fühlte mein Herz in seiner Brust schlagen, seine Erinnerungen zu meinen, meine die seinen werden, und als ich den Mund öffnete, hörte ich Longspees Stimme meine Worte sagen:

»Nun trag ich den richtigen Namen, Seidener Lord, und all deine blutgetränkten Häute können dich nicht vor mir schützen: Ein Hartgill wird dich zur Hölle schicken, mit William Longspees Schwert.«

Stourton hob mit einem heiseren Schrei das Schwert, doch ich sah die Angst in seinen Augen, und ich griff ihn an, mit Longspees Kraft und meiner Wut, mit Longspees Arm und meiner Liebe, für ihn und für Ella, die immer noch hinter uns stand und nicht fortlief und sich nicht versteckte.

Stourton schlug mein Schwert zur Seite, aber ich trieb ihn zurück, Schritt für Schritt, Hieb für Hieb. Und dann stieß ich ihm die Klinge so tief in die Brust, dass sie in die Mauer hinter ihm fuhr. Seine Haut welkte wie die Blätter einer grässlichen Blüte und seine brennenden Augen erloschen. Aber ich holte noch einmal aus und schlug ihm den Kopf vom knochigen Hals. Ich wusste nicht,

welcher Hass mich trieb, ob es nur meiner war oder auch Longspees.

Ellas Stimme brachte mich wieder zu Verstand. »Jon!« Sie rief meinen Namen, aber auch den von Longspee, und ich ließ das Schwert sinken und fiel zitternd auf die Knie, während Stourtons Gestalt vor mir zerfiel, Hülle für Hülle, zerstört von Longspees Licht und meinem Namen. Und plötzlich war ich wieder ein Junge, der auf demselben Steinboden kniete, auf dem einst William Hartgill gekniet hatte, als er darauf gewartet hatte, dass sein Sohn ihn vor dem Mann rettete, den ich nun getötet hatte.

Ella schlang die Arme um mich, und als ich hochblickte, sah ich Longspee an der Mauer lehnen. Er sah so sehr wie ein lebender Mann aus, dass ich für einen Moment nicht glauben konnte, dass er schon vor vielen Hundert Jahren gestorben war.

»Jon Whitcroft«, sagte er. »Ich glaube, du bist kein Knappe mehr.«

15

Vorbei

Die beiden Knechte, die Zelda und den Vollbart bewachten, starrten besorgt zum Turm hinauf, als Ella und ich aus der Kirchentür lugten. Sie hatten die beiden an Grabsteine gefesselt, und einer von ihnen hielt die Flinte, die der Vollbart benutzt hatte.

Leider rief Zelda Ellas Namen, als sie uns sah. Die Tränen liefen ihr übers Gesicht vor Erleichterung, und der Vollbart begann, so breit zu grinsen, dass sein lädiertes Gesicht fast in zwei Hälften zerfiel. Aber Stourtons Knechte entdeckten uns so eben leider auch. Es hätte mich nicht überrascht, wenn ihnen die Augäpfel herausgefallen wären, so ungläubig starrten sie uns an.

»Bleibt in der Kirche, Ella!«, schrie Zelda, während der Vollbart nach dem Mann trat, der seine Flinte hielt. Er wand sich dafür wie ein Fisch am Haken und war nicht sonderlich erfolgreich, aber ich fand den Versuch wirklich ehrenwert.

»Was starrt ihr so? Wir haben euren Herrn zur Hölle geschickt, und diesmal für immer!«, rief ich den Knechten zu. »Vielleicht könnt ihr ihn ja noch einholen!«

Die Schrotladung traf die Tür nur eine Handbreit entfernt von meinem Gesicht, und Ella zerrte mich zurück, bevor die nächste Ladung mir die Nase abriss.

»Bist du verrückt geworden?«, zischte sie mir zu. »Überlass die zwei Longspee!«

Longspee. Er war mit uns vom Turm gestiegen, aber wo war er? Ich sah mich suchend nach ihm um. Er stand auf dem Mittelgang und blickte zum Altar. Ella winkte mir, zu ihm zu gehen, während sie Stourtons Knechte im Auge behielt. Zum Glück schienen sie nicht recht zu wissen, was sie ohne ihren Meister anfangen sollten.

»Wo ist er hin?« Longspee war erneut kaum zu sehen, als hätte der Kampf auf dem Turm all seine Kraft verbraucht. »Wo ist er hin, Jon? Gibt es eine Hölle? Werde ich dort auch enden, wenn der Tod mich schließlich doch holt?«

Ich wusste nicht, was ich ihm antworten sollte. Ich hörte die Stimme des Choristen durch die Schulkapelle hallen: *Er hat mich umgebracht.*

»Da draußen«, sagte ich, »sind noch zwei von Stourtons Knechten. Sie haben Ellas Großmutter und ihren … ihren Onkel. Kannst du ihnen helfen?«

Natürlich konnte er. Als Longspee durch die Mauer der alten Kirche trat, starrte der Vollbart ihn so verzückt an wie ein Kind, das zum ersten Mal einen Weihnachtsbaum sieht.

Stourtons Knechte liefen nicht davon, obwohl man ihren leeren Gesichtern ansah, dass sie in Versuchung waren. Vielleicht glaubten sie immer noch, dass ihr Meister von dem Turm heruntersteigen und ihnen zu Hilfe kommen würde. Der eine schoss auf Longspee, was natürlich ziemlich albern war – sie als Geister hätten das wissen müssen. Der zweite griff sich einen Spaten, der zwischen den Gräbern in der feuchten Erde steckte, was ebenso wenig Sinn ergab. Dann griffen sie Longspee zusammen an, aber ihre toten Menschenglieder konnten sie nicht gegen ihn schützen, und schließlich fuhren sie wie schmutziger Nebel aus den gestohlenen Körpern und lösten sich wie ihr Meister auf in der Nacht. Der Friedhof von Kilmington schien erleichtert aufzuseufzen, als Longspee sein Schwert zurück in die Scheide schob, und die Stille zwischen den Gräbern war plötzlich so rein wie die Luft nach einem heftigen Regen.

Was findest du nur an Rittern, Jon?, hatte meine Mutter mich gefragt, als ich zwischen meinem fünften und neunten Geburtstag zu keinem Kostümfest eine andere Verkleidung akzeptieren wollte. Ja, was? Vielleicht, dass sie uns glauben lassen, dass man das Böse mit einer Rüstung und einem Schwert aus der Welt vertreiben kann.

Ella befreite den Vollbart (sie nannte ihn Matt wie meine Mutter) und ich befreite Zelda.

Longspee war immer noch da, aber er verblasste bereits.

»Warum hast du mich nicht früher gerufen, Jon Whitcroft?«, fragte er.

Dann war er verschwunden, ohne dass ich seine Frage hatte beantworten können.

16

Longspees Dunkelheit

Zelda bestand darauf, mir in dieser Nacht ein Bett auf ihrem Sofa zu machen, und schickte den Vollbart zu den Popplewells, obwohl er fast ebenso tot aussah wie Stourtons Knechte.

»Behaupte einfach, dass du Jon von der Schule abgeholt und so viel Spaß mit ihm gehabt hättest, dass du ganz vergessen hast, sie anzurufen«, sagte sie, während sie ihn aus der Tür schob.

»Spaß? Seh ich aus, als hätte ich Spaß gehabt?«, erwiderte der Vollbart darauf, aber er schaffte es tatsächlich, die Popplewells zu beruhigen und sie, wie Ella ihm aufgetragen hatte, zu überreden, mich noch zwei weitere Nächte bei Zelda übernachten zu lassen. Danach telefonierte er eine Stunde mit meiner Mutter, die die Popplewells natürlich schon angerufen und in Alarmzustand versetzt hatten. Das Leben wird sehr kompliziert, wenn man nicht einfach die Wahrheit erzählen kann. *Bitte entschuldigen Sie Jon*

Whitcrofts Abwesenheit. Er musste seine beste Freundin retten und einen alten Familienfluch aus der Welt schaffen. Wir alle hätten viel darum gegeben, wenn Zelda mir einfach einen solchen Entschuldigungsbrief hätte schreiben können.

Als ich am nächsten Morgen die Augen aufschlug, starrte eine Kröte von der Sofalehne auf mich herab, und es roch nach Pfannkuchen.

»Nach so einer Nacht kann man nicht zur Schule gehen!«, verkündete Zelda, als ich in die Küche stolperte. »Ich habe Mrs Tinker schon angerufen und behauptet, dass ihr zwei einen verdorbenen Magen habt, weil Matthew euch zu viele Süßigkeiten hat essen lassen. Sie weiß ja nicht, dass er Zahnarzt ist.«

Der Vollbart machte sich gut als Ausrede. Ich dachte gerade darüber nach, wie ich das in Zukunft nutzen konnte, als er in die Küche humpelte. Er sah wirklich reichlich ramponiert aus, aber daran lag es nicht, dass ich ihn fast nicht erkannte. Er hatte sich rasiert.

»Ich hab mich heute Morgen einfach so anders gefühlt«, sagte er, während er sich den Pfannkuchen zwischen die makellosen Zähne schob. »Der Bart passte nicht mehr.«

Ella gab ihm einen Kuss auf die kahl rasierte Wange, aber ich war nicht sicher, ob mir sein Gesicht so besser gefiel, und ich beschloss, ihn einstweilen weiter den Vollbart zu nennen (ich tue es immer noch). Allerdings musste ich zugeben, dass die Narbe auf seinem Kinn wirklich beeindruckend war und ich es bei ihrem Anblick fast bereute, dass Stourton keine sichtbaren Spuren in meinem Gesicht hinterlassen hatte.

Als ich Ella nach dem Frühstück endlich erzählte, wie der tote

Chorist mir in der Schulkapelle erschienen war, hörte sie, wie üblich, mit so unbeeindruckter Miene zu, dass mich allein das schon beruhigte.

»Du musst es Longspee erzählen!«, sagte sie. »Ich bin sicher, er kann alles erklären!«

»Und dann?«, gab ich zurück. »Er reimt sich doch bestimmt zusammen, dass ich ihn nicht eher gerufen habe, weil ich dem Mistkerl geglaubt habe!«

Der Blick, den ich dafür erntete, war ein Jon-Whitcroft-da-musst-du-wohl-durch-Blick.

»Schon gut«, murmelte ich. »Kommst du wenigstens mit, wenn ich mit ihm spreche?«

»Sicher«, sagte sie. »Schließlich muss ich mich noch für gestern Nacht bedanken!«

Ella wollte sich wieder in der Kathedrale einschließen lassen, aber als sie das Zelda erzählte, erntete sie nur ein sehr strenges Stirnrunzeln.

»Kommt überhaupt nicht infrage. Keine nächtlichen Ausflüge mehr für euch zwei«, sagte Zelda, »zumindest nicht ohne Begleitung«, und besorgte von einem der Führer in der Kathedrale Schlüssel für das Tor zum Domhof und eine Seitentür des Gebäudes.

»Er ist ein alter Verehrer von ihr«, flüsterte der Vollbart uns zu, als Zelda die Schlüssel stolz auf den Küchentisch warf. »Angeblich hat er ihren Namen in mindestens drei Säulen der Kathedrale geritzt und ihretwegen nie geheiratet!«

Ella versuchte, ihre Großmutter zu überreden, uns wenigstens allein mit Longspee sprechen zu lassen, aber Zelda schüttelte darauf so energisch den Kopf, dass ihr die Brille verrutschte.

»Unsinn!«, sagte sie, als wir uns in ihr Auto zwängten. »Was, wenn er doch ein Mörder ist? Keine Diskussion. Ich verspreche, ich lass mich nur sehen, falls ihr um Hilfe schreit.«

Die Kathedrale fühlte sich an wie ein alter Freund, als wir uns kurz nach dem Abendgesang durch die Seitentür hineinschlichen. Zelda wartete hinter einer Säule neben dem Taufbrunnen, während Ella und ich nach vorn zu Longspees Sarkophag gingen.

Es schien so lange her, dass ich zum ersten Mal hergekommen war. Seither war so viel passiert, dass es mir schien, als hätte ein anderer Junge William zu Hilfe gerufen.

Was sollte ich sagen? Wie konnte ich ihm in die Augen sehen, nachdem ich ihn verdächtigt hatte, ein Mörder zu sein? Der Mörder eines Jungen, der kaum älter als ich gewesen war.

Ich fühlte seine Gegenwart, noch bevor ich seine Stimme hörte.

»Also … warum hast du mich erst gerufen, als es schon fast zu spät war, Jon?«

Er erschien zwischen den Säulen, als hätte er auf mich gewartet.

Ich senkte den Kopf und schmeckte die Worte, die der Chorist gesagt hatte, wie Gift auf der Zunge. Ich liebte William Longspee, aber ich hatte seine Dunkelheit gesehen und war nicht mehr sicher, ob das Licht immer stärker in ihm war. Ich hatte an mir selbst erlebt, wie stark die Dunkelheit in uns allen sein kann, als ich auf dem Kirchturm von Kilmington gegen Stourton gekämpft hatte.

»Ich hab den Choristen getroffen. Den, den du auch gebeten hast, dein Herz zu finden.« Ich flüsterte die Worte fast, aber sie wurden laut und schwer in der weiten Leere der Kathedrale.

»Ich verstehe.«

Es war so viel Müdigkeit in seiner Stimme. Und ich sah die Mauern der Kathedrale so deutlich durch seinen Körper, als hätte all die Traurigkeit und Schuld kaum etwas von ihm übrig gelassen.

»Was hat er dir erzählt?«

Es verlangte mehr Mut, es auszusprechen, als gegen Stourton zu kämpfen.

»Dass du es warst, der ihn umgebracht hat. Ich weiß«, fügte ich hastig hinzu, »ich hätte ihm nicht glauben dürfen! Es war bestimmt alles ganz anders –«

»Nein, Jon. Es ist die Wahrheit.«

Mir wurde so kalt, als hätte Stourton mir seine knochige Hand aufs Herz gepresst. Longspee war kaum zu sehen in der Dunkelheit, doch seine Worte schrieben sich in die Stille, als wollte jedes einzelne sich mir ins Herz ätzen.

»Aber … warum?« Ella trat an meine Seite. Es war das erste Mal, dass ich ihre Stimme zittern hörte.

William blickte an den Säulen entlang. »Er sagte, er hätte mein Herz gefunden und dass er es mir nur unter einer Bedingung zurückgeben würde. Wenn ich seinen Lehrer töte.«

Er trat auf den Sarkophag zu, auf dem sein Abbild lag, so edel und friedvoll in seinem steinernen Schlaf.

»Er sagte: ›Er ist ein alter Mann‹«, fuhr William mit fast unhörbarer Stimme fort. »›Vermutlich bleibt ihm schon das Herz stehen, wenn du dich ihm nur zeigst.‹ ›Warum willst du ihn tot sehen?‹, fragte ich. Er lachte. ›Weil ich ihn nicht mag!‹, antwortete er. Das hatte ich schon einmal gehört … von einem König. John sagte solche Dinge. ›Schaff ihn mir aus dem Weg. Ich mag ihn nicht.‹ Und es war immer jemand da, der seinen Wunsch auf der Stelle erfüllte. Manchmal war ich es. Ich war es leid. Ich war es so leid, Befehle von einem verdorbenen Jungen entgegenzunehmen.«

Longspee streckte die Hand aus und berührte das steinerne Gesicht, das dem seinen so sehr glich. Seine Finger tauchten hinein, als wäre der Stein ebenso substanzlos wie er.

»Ich sagte ihm, dass ich seine Bedingung nicht erfüllen würde und verlangte mein Herz zurück. Er lachte mich aus. ›Nein, in dem Fall vergrab ich es wieder‹, sagte er. ›Ich hoffe, das wird dich so schwach und unglücklich machen, dass du deinen Eid nie erfüllen kannst. Und deine Frau wirst du auch nie wieder sehen. Was soll sie auch anfangen mit einem herzlosen Ritter?‹«

Longspee fuhr sich mit der Hand übers Gesicht.

»Ich zog mein Schwert in meiner hilflosen Wut. Er stolperte zurück und stürzte rücklings aus dem Fenster, vor dem er stand. Er brach sich den Hals. Sein Schrei schrieb mir ›Mörder‹ auf die Stirn, und ich spürte, wie die Dunkelheit mir für immer die Seele schwärzte. Nur einer mehr, William, sagte ich mir. Es war nur einer mehr! Du hast so viele getötet und dieser war wahrlich schlecht! Aber die Dunkelheit wich nicht mehr von mir, und ich verlor alle Hoffnung, sie mir je wieder von der Seele zu waschen. Oder Ella wiederzusehen. William Longspee ist nichts als ein Schatten. Ein herzloser Ritter. Gefesselt an diese Welt für alle Zeit.«

Er sank auf die Knie, vor seinem Grabmal und all den Heiligen und Sündern, die mit ihren Steingesichtern auf ihn herabblickten. Die Mauern der Kathedrale schienen Worte des Trostes zu flüstern, und ihre Säulen streckten sich, als wollten sie die Schuld des Ritters mit ihm tragen. Aber die Nacht goss Dunkelheit durch die Fenster und nur Ellas Taschenlampe verbreitete noch etwas Licht.

Ella trat so zögernd auf ihn zu, als wäre sie nicht sicher, ob er sie fortschicken würde.

»Du hast Jon und mich gerettet«, sagte sie, »und Zelda und Matt. Ich finde, dein Eid ist längst erfüllt, und was deine Frau betrifft – irgendwann siehst du sie bestimmt wieder! Denn Jon und ich werden dein Herz finden und es zu ihren Füßen begraben. Das versprech ich, so wahr ich Ella Littlejohn heiße. Und nun steh bitte auf!«

17

Die Insel der Choristen

Ich geb es zu: Der Vollbart stellte keine lästigen Fragen, als Ella ihm am nächsten Morgen eröffnete, dass wir noch einmal seine Hilfe brauchten. Und er erschien, wie abgesprochen, kurz nach Schulschluss und verwickelte die Aufsicht führende Lehrerin (Mrs Bagenal, Mathematik und Chemie) in ein Gespräch über Zahnhygiene, damit Ella und ich uns hinauf in die Schulkapelle schleichen konnten.

Ich hatte vorgeschlagen, den schmutzigen kleinen Erpresser einfach so einzuschüchtern, dass er uns freiwillig erzählte, wo das Herz war, aber Ella runzelte nur die Stirn und fragte, wie ich das anstellen wollte. Natürlich hatte ich keine Ahnung, also machten wir es auf ihre Weise: Ich versteckte mich zwischen den Bänken, und zehn Minuten später spazierte Ella in die Kapelle und blickte sich um, als wollte sie sichergehen, dass niemand da war. (Sie ist eine ziemlich gute Schauspielerin, wie ich an diesem Tag feststellte.)

»Aleister? Aleister Jindrich?«, fragte sie in die Stille. (Longspee hatte uns seinen Namen verraten.) »Wo bist du? Ich muss mit dir sprechen.«

Er ließ nicht lange auf sich warten. Ella sah wie immer sehr hübsch aus, und es schmeichelte Aleisters Eitelkeit sicher maßlos, dass ein solches Mädchen nach ihm rief.

Zuerst war er kaum mehr als ein Flackern vor den Altarstufen. Dann erschien sein Kopf, verschlagen grinsend wie die Grinsekatze in *Alice im Wunderland*, und schließlich stand der ganze Junge vor Ella, in seiner Choristen-Tracht, die wie eine ausgebleichte Version von Angus' Tracht aussah.

»Nun sieh sich einer das an!«, schnurrte er und lächelte Ella dabei so anzüglich an, dass ich ihn gern auf der Stelle verprügelt hätte. »Kennen wir uns? Nicht, dass ich wüsste.«

Ella musterte ihn mit so ungerührter Miene, als gäbe es nichts Normaleres auf der Welt als einen toten spukenden Choristen.

»Mein Name ist Ella Littlejohn«, sagte sie. »Meine Großmutter Zelda führt Geistertouren durch Salisbury. Deshalb bin ich hier.«

»Ach ja?«, Aleister begann, um sie herumzuschleichen wie eine Katze um den Milchtopf. »Erklär das bitte etwas näher.«

Ella verschränkte die Arme. Der Vollbart hatte uns erzählt, dass das Geister angeblich davon abhielt, mit einem zu verschmelzen. Er wusste wirklich ein paar nützliche Dinge, wenn er vergaß, dass er ein Zahnarzt war.

»Ich hab meiner Großmutter von dir erzählt«, sagte Ella. »Schließlich weiß jeder auf dieser Schule von dir. Aber Zelda sagt, sie will auf ihren Touren nicht von einem Jungen erzählen, der so kindisch war, aus Heimweh aus dem Fenster zu springen und seither nichts Besseres zu tun hat, als in seiner alten Schule herumzuspuken und sich leidzutun.«

Perfekt. Aleister wurde so weiß wie ein Betttuch (nicht, dass er im Normalzustand allzu viel Farbe hatte, aber es machte einen Unterschied).

»So, das sagt deine Großmutter!«, fauchte er. Er hatte wirklich ziemliche Ähnlichkeit mit einer Katze.

»Ja, das sagt sie«, erwiderte Ella ungerührt. »Aber ich habe eine andere Geschichte gehört.«

Sie machte eine wirkungsvolle Pause und strich sich das Kleid glatt (die Schuluniform der Mädchen ist nicht gerade aufregend, aber Ella sah selbst darin gut aus).

»Ein Junge in meiner Klasse«, fuhr sie fort, »sagt, dass ein Ritter, der in der Kathedrale spukt, dich getötet hat, weil du ihm sein Herz gestohlen hast. Das hört sich natürlich viel besser an als die Heimweh-Geschichte. Aber welche ist wahr?«

»Na, das ist die Wahrheit! Der verfluchte Ritter hat mich umgebracht!« Aleister stellte sich auf die Zehen, damit er so groß wie Ella war. Pompöser kleiner Freak! Kein Wunder, dass ihn weder Himmel noch Hölle haben wollten.

Ella strich sich das Haar zurück. »Beweis es.«

»Beweisen?« Aleister blickte deutlich verwirrt. »Wie?«

»Zeig mir das Herz!«

Für einen Atemzug glaubte ich, er würde durchschauen, worum es hier ging. Doch ich unterschätzte seine Eitelkeit – abgesehen davon, dass es seinem Verstand vermutlich nicht allzu gutgetan hatte, aus einem Fenster zu fallen und jahrhundertelang in seiner alten Schule herumzuspuken.

»In Ordnung«, sagte er »Aber du musst mich küssen, wenn ich es dir zeige.«

Kleiner Dreckskerl. Ich sah, wie Ella schluckte und unter ihren gekreuzten Armen die Fäuste ballte, aber ihrer Stimme hörte man den Abscheu nicht an.

»Natürlich«, sagte sie in gelassenstem Ton. »Ich wollte dich schon immer mal küssen. Du siehst auf dem Bild da draußen so gut aus.«

Er schluckte es. Er schluckte es wie der Fisch den Köder, der jämmerliche kleine Erpresser. Offensichtlich hatte Aleister vollkommen vergessen, dass er Menschen nicht anfassen konnte. Selbst, wenn sie so hübsch wie Ella waren.

»Ich hab das Herz an einem sicheren Ort versteckt!«, raunte er Ella vertraulich zu. »Es ist gar nicht weit von hier.«

Also hatte er es nicht wieder in Stonehenge vergraben. Ella verbarg ihre Überraschung meisterhaft.

»Gut. Zeig es mir.«

Aleister schüttelte den Kopf.

»Es muss erst dunkel sein. Meine Haut juckt abscheulich, wenn sie allzu viel Tageslicht abbekommt.«

Ella warf einen Blick zu den bunten Glasfenstern der Kapelle.

»Aber das dauert noch etliche Stunden«, stellte sie fest. »Warum sagst du mir nicht einfach, wo du es versteckt hast, und ich hol es?«

Es war ein netter Versuch, aber so dumm war Aleister nun auch

wieder nicht. Sein verschlagenes Lächeln war auf der Stelle zurück.

»Nein, nein, ich will es dir schon selbst zeigen, meine Hübsche!«, schnurrte er. Seine Stimme klang zu albern mit dem kleinen Echo, das sie hatte. »Warte einfach hinter der Schule auf mich, sobald es dunkel wird!«

»Na gut.« Ella brachte tatsächlich ein erwartungsvolles Lächeln zustande. »Nur eine Frage noch. Hast du keine Angst, dass der Ritter eines Tages hier auftaucht und sein Herz zurückverlangt?«

Aleisters Lachen war so hämisch, dass ein Blitzstrahl vom Himmel die einzig passende Antwort gewesen wäre, aber selbst in einer Kapelle arbeitet die himmlische Gerechtigkeit wohl leider nicht mit solchen Mitteln.

»Der arme Hund kann die Kathedrale nur verlassen, wenn ihn jemand um Hilfe ruft«, kicherte er. »Das hat er seinem eigenen albernen Schwur zu verdanken!«

»Wie dumm von ihm!« Der Blick, den Ella dem kleinen Mistkerl zuwarf, verriet ihren Abscheu mehr als deutlich, aber im nächsten Moment lächelte sie Aleister wieder auf die süßeste Ella-Weise an.

»Also gut!«, sagte sie. »Dann sehen wir uns nach Sonnenuntergang.«

Der Vollbart hatte keine allzu gute Zeit gehabt (»Himmel, diese Lehrerin hat mir von jedem faulen Zahn ihrer Kollegen erzählt!«, stöhnte er, als wir ihn wieder vor der Schule trafen), und als wir ihm erzählten, dass wir noch mal zur Schule zurückmussten, sobald es dunkel wurde, war er alles andere als begeistert. Er bestand darauf, uns Gesellschaft zu leisten, bis es so weit war. Also erlaubten wir ihm, uns zu einem Eis auf der High Street einzuladen, aber als es endlich dunkel wurde und wir wieder vor dem inzwischen abgeschlossenen Schultor standen, machte Ella ihm sehr deutlich, dass wir alles Weitere allein erledigen mussten. Er spielte den verantwortungsvollen Quasi-Vater und versuchte, mit uns zu diskutieren. Aber schließlich streckte er die Waffen vor der Tatsache, dass wir diesmal nur einen Geist treffen wollten, der fast einen Kopf kleiner war als Ella.

Der Bischofspalast sah im Mondlicht wirklich nicht wie eine Schule aus, und während ich Ella über das schmiedeeiserne Tor nachkletterte, malte ich mir aus, wie Aleister nachts durch die leeren Korridore strich und von Streichen träumte, die er längst toten Lehrern und Mitschülern gespielt hatte.

Die Wiese hinter der Schule, auf der wir tags Fußball und Rugby spielten, sah ohne das übliche Kindergedränge so fremd aus wie der Mond.

»Was machst du noch hier?«, raunte Ella mir zu, als ich unschlüssig neben ihr auf dem Rasen stehen blieb. »Versteck dich, bevor er dich sieht!«

Ich hasste es, sie allein zu lassen. Der Mond verschwand hinter einer Wolke und die Nacht wurde plötzlich sehr dunkel. Aber Ella hatte natürlich recht. Also suchte ich mir ein Versteck in den Büschen, die vor dem Schulgebäude wuchsen, und hoffte, dass Aleister sie an einen Ort führen würde, an den ich ihnen unbemerkt würde folgen können.

Zum Glück war der kleine Dreckskerl viel zu erpicht darauf, Ella wiederzusehen, um sie lange warten zu lassen. Sie war vielleicht ein Dutzend Mal auf dem Rasen auf und ab gegangen, als sich eine weißliche Gestalt aus den Schulmauern löste und auf sie zuschritt. Ja, Geister schweben nicht, sie gehen, auch wenn das ein ziemlich seltsamer Anblick ist, weil sie das oft mehr als eine Handbreit über dem Boden tun.

Ich konnte nicht verstehen, was die beiden miteinander sprachen. Ich sah nur, dass Aleister Ella mit seinem bleichen Geisterkörper allzu nahe kam, wofür ich ihn zu gern noch einmal aus einem Fenster geschubst hätte. Als sie über die Wiese davonschritten, konnte ich mich nur schwer beherrschen, nicht auf der Stelle aus meinem Versteck zu springen und ihnen nachzulaufen. Aber ich zwang mich, wie abgemacht zu warten, bis klar war, wohin er Ella führte.

Das Wohin wurde sehr bald klar.

Aleister hielt auf die Insel zu.

Der Name ist sehr irreführend. Die Insel ist nicht mehr als ein flacher Hügel, den ein Bach, der über das Schulgelände fließt, bei Regen mit Schlamm und flachem Wasser umgibt. Die Erst- und Zweitklässler spielen dort, dass sie schiffbrüchig oder Piraten sind, und die Drittklässler haben einen Damm aus Zweigen und totem Holz gebaut, um sie ab und zu zu überfallen. Nach dem Regen der letzten Wochen war er der einzige Zugang. Ich kroch aus meinem Versteck, sobald Ella hinüberbalanciert war, und schlich so leise über den dunklen Rasen, wie es mich Jahre Versteckenspielen mit meinen kleinen Schwestern gelehrt hatten. Der Damm war al-

lerdings eine fast unlösbare Aufgabe. Die Zweige knackten so laut, dass ich bei jedem Schritt innehielt, doch Ella hob die Stimme, um die verdächtigen Geräusche zu übertönen, und schließlich stand ich auf der Insel und sah Aleisters blasse Gestalt hinter den Büschen.

»Ich hab die Urne dort bei den Steinen vergraben«, hörte ich ihn sagen. »Damals sah hier alles ziemlich anders aus, aber ich bin sicher, dass das der Platz ist.«

Damals. Natürlich! Er hatte das Herz nicht wieder ausgraben können, nachdem er sich zu Tode gestürzt hatte, also lag es seit mehr als hundert Jahren in seinem Versteck – falls es inzwischen nicht jemand gefunden hatte.

Ich lugte durch die Büsche und sah, wie Ella die Schaufel unter der Jacke hervorzog, die sie auch in Stonehenge dabeigehabt hatte. Sie dachte wirklich an alles.

»Wie sieht die Urne aus?«, fragte sie.

»Sie ist aus Blei, mit magischen Symbolen auf dem Deckel. Aber sie gehört mir, vergiss das nicht!«

»Natürlich«, sagte Ella und begann zu graben.

Aleister stand direkt hinter ihr. Es war so schwer, ruhig in meinem Versteck zu bleiben, während er Ella mit seinen Geisteraugen anstarrte, aber ich hatte ihr versprechen müssen, dass ich mich erst zeigte, wenn sie ganz sicher war, dass der kleine Mistkerl sie an den richtigen Ort geführt hatte.

Rühr sie nicht an, Aleister Jindrich!, dachte ich. Untersteh dich!

Er kann sie nicht anfassen, du Dummkopf!, erwiderte ich mir selbst. Aber allzu viel half das nicht.

»Also ich seh nichts. Bist du sicher, dass es hier war?«, fragte Ella nach einer Weile.

»Ja, ganz sicher. Es muss da sein.«

Ella stieß die Schaufel erneut in die regenfeuchte Erde. Es kam mir vor, als grübe sie Stunden, aber plötzlich hörte ich ein gedämpftes Klirren. Metall gegen Metall. Ella ließ die Schaufel fallen und griff in das tiefe Loch, das sie gegraben hatte.

»Ich fühl sie!«, rief sie. »Eine Urne. Wie du gesagt hast.«

»Siehst du?« Aleister leuchtete vor Stolz wie ein Champignon im Dunkeln – als wäre es die größte Errungenschaft, das Herz eines toten Mannes zu stehlen. »Also?«, schnurrte er. »Wo bleibt mein Kuss?«

Ella warf ihm einen verächtlichen Blick zu.

»Erst mal muss ich das Herz sehen. Was, wenn das da unten nichts weiter als eine alte Keksdose ist?«

Aleisters blasses Gesicht bedeckte sich mit Zornesflecken. »Es IST das Herz und du gibst mir einen Kuss! Jetzt!«

Ella richtete sich auf. Sie war immer noch größer als er.

»Ach ja? Und wie soll das gehen? Du bist ein Geist. Aber selbst wenn du aus Fleisch und Blut wärst – ich würde eher alle Kröten meiner Großmutter küssen als dich.«

Er versuchte, sie zu packen. Aber seine Arme griffen mitten durch ihren Körper hindurch. Als Ella ihn zurückzustoßen wollte, funktionierte das natürlich ebenso wenig.

»Lass sie in Ruhe, du dreckiger toter Dieb!«, schrie ich und stolperte so hastig aus dem Gebüsch, dass ich mit meinem Fuß geradewegs in das frisch gegrabene Loch trat. Ich verdrehte mir den Knöchel, als ich ihn wieder herauszerrte, aber ich schaffte es trotzdem irgendwie, mich schützend vor Ella zu stellen. Sie warf mir dafür einen so erleichterten Blick zu, dass es einen gebrochenen Knöchel wert gewesen wäre.

»Hol du das Herz!«, sagte ich zu ihr, während ich Aleister nicht aus den Augen ließ. »Um den kleinen Mistkerl kümmere ich mich!«

Was sich wirklich gut anhörte, nur hatte ich leider nicht die blasseste Idee, wie ich das anstellen sollte. Natürlich hätte ich Longspee rufen können. Aber wie konnte ich mich allen Ernstes seinen Knappen nennen, wenn ich es nicht mal mit einem Geist aufnahm, der einen halben Kopf kleiner war als ich?

Aleister hatte die Farbe einer verschimmelten Apfelsine angenommen und schlotterte vor Zorn.

»Was machst DU hier?«, fuhr er mich an, während seine Augen sich in ein Paar glühender Kohlen verwandelten. »Hat der verfluchte Ritter dich etwa geschickt?«

»Und wenn?«, gab ich zurück. »Es ist immer noch sein Herz, oder?«

»Ich bring dich um!«, kreischte Aleister. Sein Kopf leuchtete inzwischen wie ein Kürbis an Halloween.

»Nun, das kannst du nicht!«, gab ich höhnisch zurück. »Und glaub mir, ich weiß, wovon ich rede. Ich hatte in den letzten Tagen mehr als genug mit deinesgleichen zu tun.«

In dem Moment stieß Ella hinter mir einen Entzückensschrei aus.

»Ich hab es, Jon!«, rief sie.

Die Urne, die sie in den Händen hielt, war aus grauem Metall –

Blei, wie Aleister gesagt hatte – und mit irgendwelchen Symbolen bedeckt. Ihr Anblick ließ mich Aleister vollkommen vergessen. Ella rief mir eine Warnung zu, als er auf mich zusprang, aber es war schon zu spät. Sein bleicher Körper verschmolz mit meinem und flutete mir das Herz und den Verstand mit all seiner Wut und so vielen Bildern und Geräuschen, dass ich nicht mal mehr meinen Namen wusste.

»Lass ihn in Ruhe!«, hörte ich Ella schreien.

Ich fühlte, wie sie schützend die Arme um mich schlang und Aleisters Kälte ihrer Wärme wich.

»Jon!«, rief sie, »Jon!« – und gab mir meinen Namen zurück.

Aleister aber war ebenso plötzlich verschwunden, wie er mich angegriffen hatte, und ich kniete zitternd auf der feuchten Erde und fühlte mich entsetzlich dumm und bestimmt nicht wert, der Knappe eines Ritters zu sein.

»Ich hätte es wissen müssen!«, stammelte ich wütend. »Ich hätte zur Seite springen sollen oder die Arme kreuzen oder …«

»Vergiss es!«, sagte Ella und half mir auf die Füße. »Er hat mich genauso überrumpelt. Er ist ein gemeiner, kleiner Mistkerl, und ich hoffe, wir sehen ihn nie wieder.«

Die Urne lag noch dort, wo sie sie hatte fallen lassen, um mir zu Hilfe zu kommen. Sie sah aus wie eine sehr altmodische Blumenvase. Ella hob sie auf und wischte mit dem Ärmel darüber. »Schwarze Magie«, sagte sie, als ich auf die Symbole starrte, die sie bedeckten. »Keine Sorge. Zelda sagt immer: Sie wirkt nur, wenn du daran glaubst. Lass uns zum Tor zurückgehen. Matt macht sich bestimmt schon Sorgen.«

Den Vollbart hatte ich natürlich vollkommen vergessen. Als wir am Bischofspalast vorbeiliefen (und nein, im Dunkeln sieht er wirklich nicht wie eine Schule aus), glaubte ich, hinter einem der Fenster ein wütendes Flackern zu sehen, und in meinem Kopf hörte ich immer noch das Brechen von Glas und fühlte, wie Aleister Jindrich durch die kalte Winterluft in den Tod stürzte.

Noch heute kommt mir manchmal ganz plötzlich eine Erinnerung, die Aleister wie einen fettigen Fingerabdruck in meinem Kopf hinterlassen hat.

Glaubt mir. Es ist kein gutes Gefühl.

18

Abendlied

Als wir zum Tor kamen, ging der Vollbart dahinter so ungeduldig auf und ab wie ein Tiger im Käfig.

»Das hat ja ewig gedauert!«, schimpfte er. »Was denkt ihr, was eure Mütter mit mir machen, wenn sie erfahren, dass ich hier folgsam vor dem Tor warte, während ihr euch mitten in der Nacht mit einem Geist trefft? Und kommt mir jetzt nicht wieder damit, dass es nur ein kleiner war!«

»Von mir wird Mam nichts erfahren«, antwortete ich, während ich mich über das Tor schwang. »Außerdem ist es gerade erst zehn.«

»Genau«, sagte Ella und reichte mir die Urne herüber. »Beruhig dich, Matt. Wir hatten das Ganze wirklich im Griff.«

Was natürlich eine Lüge war. Aber der Vollbart hatte ohnehin nichts von dem gehört, was Ella gesagt hatte. Er hatte nur Augen für die Urne.

»Ihr habt es?«, stammelte er.

Ich nickte und presste die Urne fest gegen die Brust. Alles war gut. Auch wenn ich mich immer noch ganz abscheulich veraleistert fühlte.

»Wir müssen es Longspee erzählen«, sagte ich zum Vollbart. »Aber warte besser nicht hier auf uns. Vielleicht kommt Aleister uns doch noch nach.«

Dann steuerte ich mit Ella auf die Kathedrale zu.

Er kam uns nach. Natürlich.

Ich blieb stehen.

»Was soll das? Du kannst nicht mitkommen!« Ich gab mir wirklich Mühe, nett zu klingen. Schließlich hatte er in Kilmington versucht, Ella zu retten. Auch wenn er sich nicht besonders erfolgreich dabei angestellt hatte.

»Ach ja? Warum nicht?«

Weil Longspee mir gehört, wollte ich antworten. Aber natürlich wusste ich, wie kindisch das klang. Seine Antwort klang allerdings auch nicht besser.

»Ich will ihn nur noch mal sehen!«

»Warum? Wenn du einen Geist sehen willst, geh zurück und sieh dir Aleister an.«

»Der ist kein Ritter!«, schnappte der Vollbart, während er so rot anlief, dass man es selbst in der Dunkelheit sah. »In Kilmington hab ich kaum mehr als einen Blick auf ihn werfen können!«

»Aber er wird gar nicht erst kommen, wenn du –«

»Hört auf!«, unterbrach Ella uns ungeduldig. »Es ist egal, ob Matt mitkommt. Longspee wird sich eh nicht zeigen.«

Sie wies auf die Kathedralenfenster. Durch die Scheiben fiel Licht nach draußen, und ich erinnerte mich, dass Angus irgendwas von einem Konzert erzählt hatte, für das die Choristen probten. Enttäuscht blickte ich auf die Urne, aber Ella griff nach meinem Arm.

»Wir werden es ihm trotzdem erzählen«, sagte sie. »Irgendwie wird er uns schon hören.«

Wir schlichen uns den Südgang hinunter, damit die probenden Choristen uns nicht bemerkten. Ella und ich waren dabei so stumm wie die Steine, aber der Vollbart konnte einfach nicht den Mund halten.

»Seht euch nur diese Säulen an!«, flüsterte er. »Wisst ihr, dass sie sich unter der Turmspitze biegen, weil sie viel zu schwer für sie ist?«

»Ja, wissen wir«, flüsterte ich zurück, aber das brachte ihn keineswegs zum Schweigen.

»Kennst du auch die Geschichte, wie sie den Platz für die Kathedrale gefunden haben?«, raunte er mir zu.

»Ja, sicher«, flüsterte ich – und presste die Urne fester gegen die Brust. Hinter den Säulen tauchte Longspees Sarkophag auf.

Ella gab mir einen aufmunternden Stoß.

»Geh schon«, flüsterte sie mir zu. »Er wird dich bestimmt hören!«

Die Choristen sangen, als wäre ein Schwarm Engel vom Himmel gestiegen. Es war immer wieder schwer zu glauben, dass solche Töne aus Angus' Mund kamen. Longspees steinerne Gestalt lag so friedlich da, als hätten sie ihn in den Schlaf gesungen. Ich schob mich durch die Säulen und beugte mich über den Sarg.

»Ich hoffe, du hörst mich!«, flüsterte ich. »Ich glaube, wir haben dein Herz gefunden. Und morgen bringen wir es nach Lacock, zum Grab deiner Frau. Die Urne ist versiegelt, deshalb konnten wir sie noch nicht öffnen, aber ...«

Eine laute Stimme ließ mich abrupt verstummen.

»Hey, Jon! Was zum Teufel machst du hier?«

Ich hatte nicht bemerkt, dass die Choristen aufgehört hatten zu singen. Sie kamen aus dem Chorraum wie eine aufgeregte Schar Vögel. Und Angus war der größte und lauteste. Als er meinen Namen rief, richteten sich alle Blicke auf mich, und ich stand da und presste die Urne gegen die Brust und wünschte sie alle sonst wohin.

»Wo hast du gesteckt, Whitcroft?«, rief Angus, den missbilligenden Blick seines Chorleiters ignorierend, und bahnte sich ungestüm wie ein Hundewelpe einen Weg durch die Stuhlreihen. »Stu und ich haben uns schon ...«

Er blieb ruckartig stehen, als er Ella hinter mir entdeckte.

»Hey, das ...«, stotterte er, während er rot anlief. »... hi, Ella.«

»Hi«, antwortete sie und bedachte ihn mit einem so eisigen Blick, dass er mir fast leidtat. Aber Angus bemerkte den Blick nicht. Er hatte die Urne entdeckt.

»Was ist denn das?«

»Nichts!«, antwortete ich, während ich die Urne hinter meinem Rücken verbarg. Und dann ... Ja. Ich kann es nicht bestreiten. Der Vollbart rettete mich.

»Hallo«, sagte er, während er zwischen den Säulen hervorkam und streckte Angus die Hand hin. »Jon war in den letzten Tagen bei mir. Ich bin sein künftiger Stiefvater. Ich nehme an, du bist einer seiner Zimmernachbarn?«

»Oh, hallo«, stammelte Angus mit einem nervösen Blick in meine Richtung. »Hallo, Mr Vollba…, ich mein, Mr …«

»Littlejohn«, sagte der Vollbart, während Angus sich bestimmt fragte, warum, zum Teufel ich jemanden Vollbart nannte, auf dessen Kinn nicht die geringste Bartspur zu entdecken war. »Ich bin Ellas Onkel und ich hab Jon und Ella gerade mein Lieblingsgrabmal in der Kathedrale gezeigt. Dieser Sarkophag ist eins der beeindruckendsten Beispiele mittelalterlicher Steinmetzkunst.«

»Ja, das hat Bona… ich mein, Mr Rifkin uns auch schon erklärt«, murmelte Angus, während sein Blick erneut zu Ella wanderte.

Der Vollbart fuhr fort, über mittelalterliche Kunst und die Grabmäler in der Kathedrale zu reden. Er tat wirklich sein Bestes, aber ich wusste, dass Angus nur an eins dachte: dass er Stu wachrütteln und ihm erzählen würde, dass er mich schon wieder mit Ella Littlejohn gesehen hatte.

Na und, Jon Whitcroft?, sagte ich mir, während der Vollbart redete und redete. Was interessiert dich, was Angus Stu erzählt? Du hast Longspees Herz gefunden! Trotzdem war ich froh, dass ich auch in dieser Nacht bei Zelda schlief.

19
Lacock Abbey

Zelda ließ uns nicht ins Bett, bevor sie alles über den Choristen und Longspees Herz gehört hatte, aber zur Schule schickte sie uns am nächsten Morgen trotzdem. Nicht, ohne uns vorher zu versprechen, dass sie auf die Urne aufpassen und sie notfalls mit ihrer Krücke verteidigen würde.

Schule. Mathematik, Geschichte, englische Grammatik. Das alles kam mir so lächerlich vor, gemessen an dem, was ich in den letzten Tagen und Nächten erlebt hatte. Ich wollte auf mein Pult klettern und rufen: »Seht ihr es nicht? Ich bin so gut wie erwachsen. Ich hab auf einem Kirchturm im Körper eines Ritters gegen einen Mörder gekämpft! Ich bin William Longspees Knappe geworden und hab sein gestohlenes Herz gefunden! Was wollt ihr mir nach all dem noch beibringen?«

Aber natürlich blieb ich auf meinem Stuhl sitzen. In Englisch flog mir eine ziemlich abscheuliche Kritzelei auf den Tisch, die Ella und mich beim Küssen zeigte, und ich wartete den ganzen Tag darauf, dass Aleister auftauchen und das Herz zurückverlangen würde. Er erschien mir schließlich tatsächlich, im Jungenklo, aber statt das Herz zu erwähnen, jammerte er darüber, dass er seit dem Zusammenstoß mit mir vollkommen durcheinander war und nichts als Mathehausaufgaben und die Kreuzfahrerstrategien von Richard Löwenherz im Kopf hatte. Ich war ziemlich überrascht, dass der Zusammenstoß mit mir diese Wirkung gehabt hatte, denn über Schule hatte ich in den letzten Tagen nun wirklich nicht nachgedacht, aber es war mir nur recht, dass es ihm schlecht ging, und ich ließ ihn mit dem Rat stehen, sich endlich und endgültig in Luft aufzulösen.

Meine Hausaufgaben machte ich an diesem Tag auf dem Rücksitz von Zeldas Auto. Es ist eine lange Fahrt von Salisbury nach Lacock und auf dem Beifahrersitz stand diesmal die Urne mit Williams Herz. Das Siegel war aufgebrochen.

»Ich dachte, ich seh besser nach, ob wirklich drin ist, was wir hoffen«, sagte Zelda, als sie meinen entgeisterten Blick bemerkte. »Und ich denke, die Antwort ist: ja. Zumindest sieht der Inhalt so aus, wie ich mir ein achthundert Jahre altes Herz vorstelle. Aber glaubt mir: Auch wenn wir einen alten Schuh in Lacock begraben würden – das Einzige, was zählt, ist, dass William Longspee nun wieder an sich selbst glaubt, und das hat er euch zu verdanken. Und seinem eigenen Mut.«

Ella warf mir einen Blick zu, der eindeutig sagte, dass sie trotzdem sehr froh darüber war, dass wir keinen alten Schuh nach Lacock brachten.

»Denkst du, dass Longspee seine Frau irgendwann wiedersehen wird?«, flüsterte sie mir zu, während Zelda einen Lastwagenfahrer verfluchte, der ihrer Meinung nach viel zu langsam fuhr. »Glaubst du an so was wie Himmel und Hölle, Jon?«

»Ich weiß nicht«, flüsterte ich zurück. »Ich hoffe nur, dass Stourton sich entweder in Luft aufgelöst hat oder an einem Ort gelandet ist, der ihn mir für alle Ewigkeit vom Leib hält! Angus glaubt ganz fest an den Himmel. Aber das Problem ist – wenn es ihn gibt, wer kommt hinein?«

»Genau!«, flüsterte Ella. »Würde Zelda zum Beispiel reinkommen?«

»Das habe ich gehört, Ella Littlejohn!«, sagte Zelda, während sie den Laster in so haarsträubendem Tempo überholte, dass ich sicher war, ihr armes, altes Auto würde alle vier Räder bei der Anstrengung verlieren. »Und nein, sie würden mich vermutlich nicht reinlassen. Aber ich glaube eh nicht an einen Himmel oder eine Hölle.«

Bevor ich sie fragen konnte, wo wir dann ihrer Meinung nach enden würden und ob ihre Kröten auch dorthin kamen, fuhr Zelda auf den Parkplatz von Lacock Abbey.

Ich glaube, ich hätte nichts dagegen, wenn jemand mein Herz in Lacock Abbey begraben würde. Man hat das Gefühl, dass der Weg in die nächste Welt von dort nicht allzu weit ist – was immer das für eine nächste Welt sein wird.

»Ich habe eine Freundin, die im Museumsladen arbeitet«, sagte Zelda, während sie über den Parkplatz voranhumpelte. (Sie weigerte sich immer noch standhaft, ihre Krücken für etwas anderes als die Bekämpfung von Geistern zu benutzen.) »Margaret und ich sind zusammen zur Schule gegangen. Sie hat einen Dummkopf geheiratet und ist selbst nicht die Hellste, aber sie wird uns bestimmt helfen.«

Margaret stand hinter der Ladenkasse. Sie war ziemlich groß und so dick, dass vier Zeldas in ihre Kleider gepasst hätten. Ihre wasserblauen Augen standen leicht vor, was sie etwas erstaunt dreinblicken ließ. Zelda fragte nach ihren Enkelkindern und zählte ihr das Geld für unsere Eintrittskarten in die Hand, aber dann kam sie schnell zur Sache.

»Hör zu, Margaret!«, raunte sie ihr über den Ladentisch zu. »Ich brauche deine Hilfe. Wir müssen etwas in Ella von Salisburys Grab vergraben.«

Margaret sprangen fast die wasserblauen Augen aus dem Kopf.

»Was ist das wieder für eine Verrücktheit, Zelda?«, flüsterte sie, während sie nervös zu ihrer Kollegin hinübersah, die gerade den Postkartenständer aufstockte. »Ich hab mich damit abgefunden, dass mir Kröten um die Füße springen, wenn ich mit dir Tee trinke, aber mehr kannst du beim besten Willen nicht verlangen!«

»Himmel, Margaret, ich habe nichts von dir verlangt, seit du mich in der Schule hast abschreiben lassen!«, gab Zelda leise zurück. »Also stell dich nicht so an. Du weißt doch bestimmt, dass Ella von Salisbury das Herz ihres Mannes angeblich hier begraben hat, oder?«

Margaret legte die Stirn in Falten. »Hat sie nicht auch das ihres Sohnes hierher gebracht? Du weißt schon, der arme Junge, der vor Jerusalem zerhackt wurde … oder war das ein anderer?«

Zelda schüttelte ungeduldig den Kopf. »Keine Ahnung. Diese Herzbegraberei ist irgendwann allzu beliebt gewesen. Aber nein. Mir geht es nur um das ihres Mannes.« Zelda lehnte sich über den Tresen. »Ella hat das falsche Herz begraben, Margaret! William Longspees Mörder hat sein Herz gestohlen und Ella das seines Dieners untergeschoben!«

Margaret presste sich die Hand aufs Herz, als hätte sie Angst, jemand könnte ihr das gleiche Schicksal bescheren. »Nein! Aber das ist ja furchtbar!«

»Entspann dich!«, raunte Zelda. »Wir haben das richtige Herz. Also zeig uns, wo Ellas Grab ist, und wir bringen das Ganze in Ordnung!«

Margaret starrte die Plastiktüte an, die Ella in der Hand hielt.

»Ist es da drin?«, flüsterte sie.

Ella runzelte die Stirn. Und nickte.

Margaret schnappte nach Luft, und für einen Moment dachte ich, die Augen würden ihr wirklich aus dem Kopf fallen.

»Aber es gibt kein Grab!«, stieß sie hervor. »Es gibt nur den Gedenkstein in den Kreuzgängen, und es ist nicht mal sicher, dass sie darunter liegt!«

Ella und ich wechselten einen besorgten Blick, doch Zelda konnte eine solche Kleinigkeit nicht erschüttern.

»Was soll's«, murmelte sie. »Dann vergraben wir das Herz eben möglichst nah bei dem Stein. Denkst du nicht auch, dass das Longspee recht wäre, Jon?«

»Longspee?« Margaret richtete die wasserblauen Augen entgeistert auf mich.

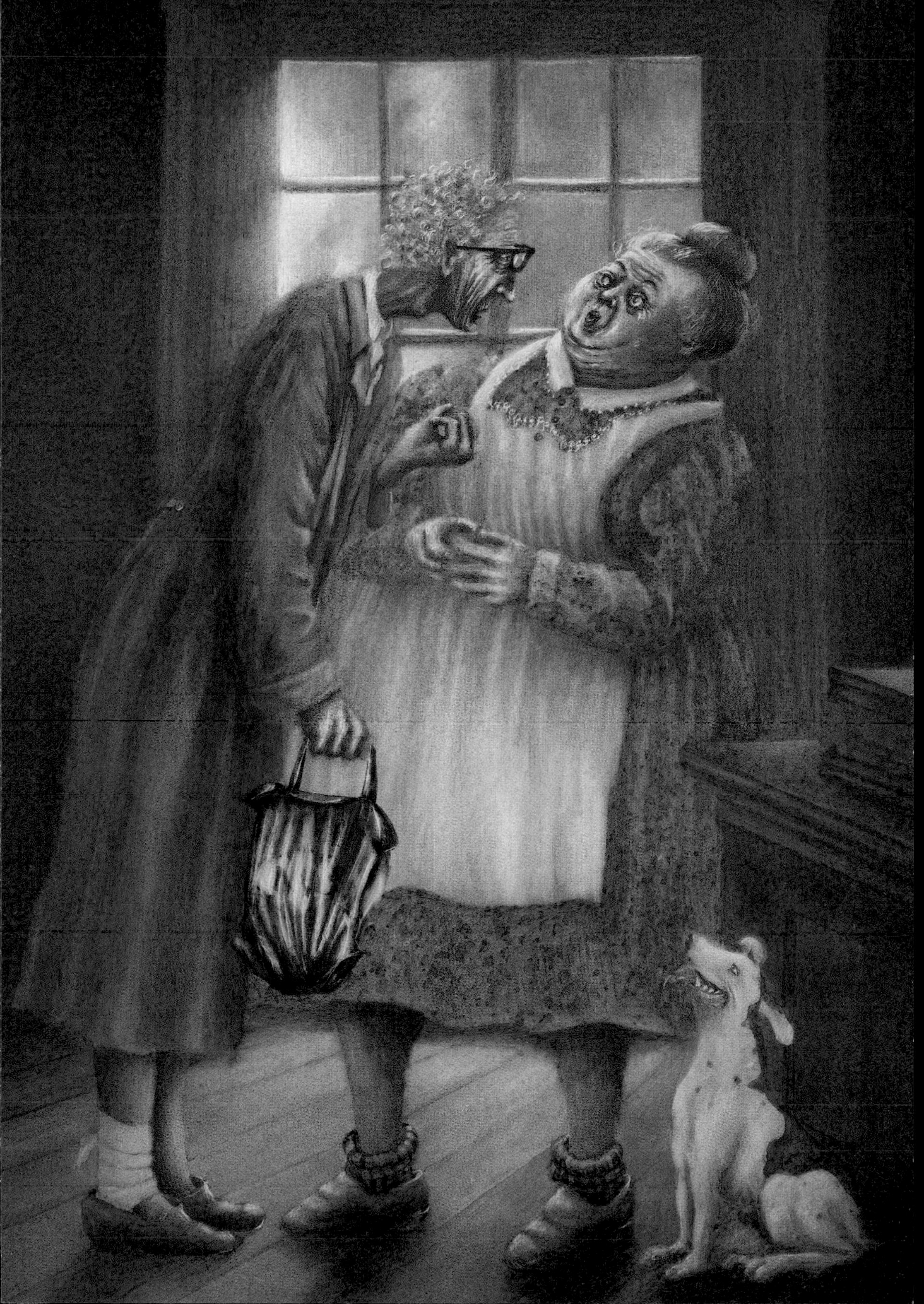

»William Longspee, Ellas Ehemann«, erklärte Zelda. »Oh, nun schau nicht so dumm drein, Margaret. Wer, glaubst du, hat uns von dem gestohlenen Herzen erzählt, wenn nicht Longspees Geist?«

Das brachte die Ärmste natürlich endgültig aus der Fassung, und Zelda musste all ihre Überredungskunst einsetzen, bevor Margaret hinter dem Ladentisch hervorkam und mit uns hinüber zur Abtei ging.

Lacock Abbey liegt so weit abseits der Straße, als hätte sie sich zwischen den Bäumen vor einer Welt versteckt, in der die Besucher schon lange nicht mehr wie Ella Longspee mit dem Pferd kommen. Margaret erzählte, dass die Abtei nicht mehr von Nonnen bewohnt wurde, seit Heinrich der Achte alle Klöster schließen ließ, aber ich glaubte, Longspees Frau hinter jedem Fenster stehen zu sehen – als hätte sie all die Jahrhunderte auf sein Herz gewartet.

»Ich glaube, du willst mich nur wieder veralbern, Zelda Littlejohn!«, stellte Margaret irgendwann mit gesenkter Stimme fest, während wir einem Touristenpaar den Pfad entlang folgten, der in den Kreuzgängen der Abtei endet. »So, wie du mir als Kind weismachen wolltest, dass es in deinem Garten Feen gibt!«

»Na gut, das mit den Feen stimmte wirklich nicht«, erwiderte Zelda. »Aber alles andere ist die reine Wahrheit.«

Margaret blickte für einen Moment so betrübt drein, als hätte sie tatsächlich gehofft, in Zeldas Garten eines Tages eine Fee zu entdecken. Aber sie verdaute die Enttäuschung schnell.

»Zwei der Aufseher«, sagte sie mit gesenkter Stimme, »behaupten, sie hätten Ela von Salisburys Geist in den Kreuzgängen gesehen!«

Ella und ich wechselten einen raschen Blick, aber Zelda schien alles andere als erstaunt.

»Ja, so etwas habe ich auch schon gehört«, sagte sie.

»Was? Warum hast du davon nichts erzählt?«, fragte ich entgeistert.

»Weil es nichts als ein Gerücht ist, Jon Whitcroft«, gab Zelda zurück. »Hast du eine Vorstellung davon, wie leicht Menschen sich einbilden, Geister zu sehen? In dieser Abtei wurden schon Dutzende gesichtet, unter anderem Heinrich der Achte und drei seiner Frauen, zwei von ihnen mit dem Kopf unterm Arm!«

»Aber vielleicht …«, stammelte ich, »vielleicht wartet Ella auf William!«

»Wartet?« Margaret starrte erneut mit weiten Augen auf die Plastiktüte, in der die Urne steckte. »Himmel!«

Zelda warf ihr einen irritierten Blick zu.

»Vielleicht«, sagte sie. »Aber vielleicht auch nicht, und vielleicht haben die Aufseher nur den Geist irgendeiner unglücklichen Nonne gesehen, die hier an der Pest gestorben ist! In dieser Abtei sind viele Frauen gestorben, nicht nur Ella von Salisbury.«

»Aber Longspee …«, begann ich, doch Ella legte mir die Hand auf den Arm.

»Lass uns erst mal ihr Grab finden, Jon«, sagte sie. Und damit hatte sie natürlich, wie immer, recht. Allerdings war es, wie Margaret gesagt hatte: Ella Longspee hatte kein Grab. Es gab nur einen Gedenkstein mit ihrem Namen in einem der Kreuzgänge, und Ella und ich starrten ratlos auf den gefliesten Boden, der den Stein umgab.

»Tja!«, sagte Zelda mit gerunzelter Stirn. »Hier geht es wohl nicht. Aber dort –«, stellte sie mit einem Blick auf die Rasenfläche fest, die zwischen den Kreuzgängen lag, »– würde es Longspee sicher auch gefallen.«

Margaret sah sie alarmiert an.

»Keine Sorge«, raunte Zelda ihr zu. »Wir warten mit dem Graben, bis die Abtei geschlossen ist. Was denkst du? Wo verstecken wir uns am besten, damit die Wächter uns nicht sehen?«

Offenbar liebten alle Littlejohns die Idee, sich an öffentlichen Orten einschließen zu lassen. Kathedralen, Abteien … ich fragte mich, was als Nächstes kommen würde. Margaret aber verschränkte die enormen Arme und schüttelte energisch den Kopf.

»Zelda –!«, begann sie – und verstummte, bis sich eine Gruppe russischer Touristen an uns vorbeigeschoben hatte. »Du benimmst dich immer noch so, als kämst du mit Dingen davon, die Zehnjährige tun!«, zischte sie Zelda zu, als die Russen in einer der Seitenkammern verschwunden waren. »Du erinnerst dich bestimmt, wie es ausging, als du mich überredet hast, dich im Chemiesaal einzuschließen. Damals hab auch ich den ganzen Ärger abbekommen. Nein!«

»Nun«, antwortete Zelda mit marzipansüßem Lächeln, »dann muss Jon dem Geist von Longspee wohl erzählen, dass du uns nicht helfen wolltest. Gib nur nicht uns die Schuld, wenn er dich dafür eines Nachts besucht. Du hast noch nie einen Geist getroffen, oder? Es kann etwas beunruhigend sein, und Longspee ist nicht die friedlichste Sorte, wie Jon dir bestätigen wird. Aber ich bin sicher, du wirst keinen allzu großen Schaden nehmen.«

Margaret warf mir einen entsetzten Blick zu.

»Na ja«, murmelte ich. »Er kann schon ziemlich wütend werden. Und er hat ein Schwert.«

Margaret presste die Lippen aufeinander.

»Also gut, Zelda!«, flüsterte sie schließlich. »Aber ich helfe euch nur, weil ich Ela von Salisbury immer bewundert habe und es ein abscheulicher Gedanke ist, dass sie vielleicht all die Jahre hier herumgegeistert ist, weil sie das falsche Herz begraben hat!«

Zelda verdrehte natürlich die Augen über so viel Sentimentalität – Ella ist ihr in der Hinsicht ziemlich ähnlich –, aber Margaret sah das zum Glück nicht. Die Kammer, zu der sie uns führte, war kaum mehr als ein dunkles Loch, in das sich sicher nicht mal die neugierigsten Touristen verirrten.

»Bist du sicher, dass ich die Kinder nicht besser mit mir nehmen sollte, Zelda?«, fragte sie, bevor sie uns allein ließ. »Hier würde ich auch ohne Geister vor Angst umkommen, wenn es dunkel wird!«

»Nein, danke«, antwortete Ella an Zeldas Stelle. »Jon und ich waren nachts schon an wesentlich schlimmeren Orten.«

Der Blick, den Margaret Zelda darauf zuwarf, drückte deutliche Zweifel an ihren Qualitäten als Großmutter aus. Aber Zelda legte mir und Ella zur Antwort nur die Arme um die Schultern und schenkte Margaret ein breites Lächeln.

»Ella hat recht«, sagte sie. »Die zwei wissen inzwischen mehr über Geister als ich!« – eine Feststellung, die Margaret endgültig zurück hinter die Ladentheke trieb.

In unserem Versteck wurde es tatsächlich dunkel wie in einem Grab, als draußen endlich die Sonne unterging. Aber als wir uns im

Schein unserer Taschenlampen zurück in die Kreuzgänge schlichen, gehörte Lacock Abbey uns. Keine Touristen, keine Führer, keine lebende Seele außer ein paar Mäusen und Vögeln. (Und Spinnen, würde Ella hinzufügen. Ella hat vor Spinnen noch mehr Angst als vor Hunden.)

»Gut. Zeit, an die Arbeit zu gehen. Ich denke, das wollt ihr lieber allein machen«, sagte Zelda, als wir wieder vor Ellas Grabstein standen, und drückte mir die Schaufel in die Hand, die sie unter dem Mantel versteckt hatte (für Littlejohns sind auch versteckte Schaufeln und Taschenlampen eine ganz alltägliche Sache). »Ich geh so lange im Garten spazieren. Ich schätze, die einzigen Geister hier sind Nonnen, und das sind meist recht friedliche Seelen.«

Damit humpelte sie davon, und Ella und ich kletterten über die niedrige Mauer, die die Kreuzgänge von dem grasbewachsenen Innenhof trennte. Der Regen der letzten Wochen hatte die Erde ziemlich aufgeweicht, aber ich brauchte trotzdem ziemlich lange, bis ich ein Loch gegraben hatte, das tief genug war.

»Hier ist es, Ella Longspee!«, flüsterte Ella, als sie die Urne hineinstellte. »Tut mir wirklich leid, dass du so lange auf das richtige Herz warten musstest!«

Wir taten unser Bestes, die Grassoden wieder so an ihren Platz zu drücken, dass man nicht sah, wo ich gegraben hatte. Dann füllten wir die überflüssige Erde in die Tüte, die wir mitgebracht hatten, und kletterten über die Mauer zurück in den Kreuzgang. Der Mond hing hell wie eine Silbermünze am Himmel, und wir standen schon wieder zwischen den Pfeilern, als Ella nach meiner Hand griff.

Auf der anderen Seite des Hofes stand eine Frau. Die Pfeiler der Kreuzgänge waren so deutlich durch ihren Körper zu sehen, als wären sie ein Teil von ihr.

»Jon, das ist sie!«, flüsterte Ella. »Siehst du? Sie hat gewartet! Sie wusste, dass sie das falsche Herz hat!«

»Woher willst du wissen, dass es Williams Ella ist?«, flüsterte ich zurück. »Du hast gehört, was Zelda gesagt hat. Es kann irgendeine Nonne sein.«

Ich hatte mich inzwischen so an den Anblick von Geistern gewöhnt, dass die weiße Gestalt mich nicht mehr erschütterte als die Tauben, die verschlafen auf dem Abteidach hockten.

»Natürlich ist sie es!«, zischte Ella ungeduldig. »Ruf ihn, wenn du mir nicht glaubst. Na los!«

Ella kann sehr überzeugend sein, aber ich zögerte trotzdem. Ich wollte nicht, dass Longspee erschien, nur um einer Fremden zu begegnen. Erst, als die Frau zögernd auf die Stelle zuschritt, an der wir das Herz begraben hatten, presste ich meine Finger auf das Löwenmal. Dann verbarg ich mich mit Ella hinter einem der Pfeiler und wartete.

William erschien genau dort, wo wir die Urne vergraben hatten. Seine Silhouette malte sich in die Nacht, als hätte der Mond ihn hergebracht, und die bleiche Frauengestalt blieb stehen. Sie standen beide einfach nur da, blasse Schatten der Menschen, die sie einmal gewesen waren. Sie waren beide nicht mehr jung gewesen, als sie starben. Ella war der Geist einer alten Frau, aber als sie und William sich anblickten, wurden sie wieder so jung, als hätte ihnen das Mondlicht die Jahrhunderte von den Gesichtern gewa-

schen. Longspee streckte die Hand aus, und als Ella dasselbe tat, verschmolzen ihre Finger miteinander.

Mir schlug das Herz bei dem Anblick, als wäre es wieder Longspees Herz, und plötzlich drehte er sich um und blickte dorthin, wo wir uns hinter den Pfeilern verbargen.

Ella gab mir einen Stoß in den Rücken und ich stolperte hinaus ins Mondlicht. Ich werde nie vergessen, wie er mich ansah.

Er presste die Faust dorthin, wo vor langer Zeit sein Herz geschlagen hatte, und ich tat es ihm nach. Ich bin sicher, ich sah wie ein Dummkopf aus, aber das tun wir alle nun mal, wenn wir glücklich sind. Bis auf Longspee. Er sah auch glücklich einfach nur wunderbar aus.

Ich konnte meine Augen nicht von ihm wenden, aber Ella griff nach meinem Arm und zog mich mit sich. Als ich mich noch einmal umblickte, verschmolz Williams Gestalt mit der seiner Frau, und ich wusste nicht, ob mir nach Lachen oder Weinen zumute war.

Wir fanden Zelda auf einer Bank vor der Abtei. Sie blickte sich erst um, als sie unsere Schritte hinter sich hörte.

»Und?«, fragte sie.

»Alles bestens«, sagte Ella, während sie die Tüte mit der Erde ausleerte, die Longspees Herz hatte Platz machen müssen. »Es war Williams Ella, also hat Jon ihn gerufen.«

»Na, das kann man dann wohl ein glückliches Ende nennen«, sagte Zelda, aber als sie sah, wie sehnsüchtig ich zu der Abtei hinüberstarrte, stand sie auf und legte mir ihre kleine magere Hand auf die Schulter. Ich glaube, Zelda ist in einem früheren Leben ein Vogel gewesen. Ein ziemlich kleiner Vogel.

»Dir gefällt dieses Ende nicht sonderlich, oder, Jon?«, fragte sie leise.

Ich schluckte. Ich fühlte mich so dumm.

»Na, ja … Was passiert nun?«, stammelte ich. »Ich mein … wird er …«

»… mit ihr gehen?«, vollendete Zelda den Satz. »Und wenn ja, wohin? Wer weiß? Ich habe nie verstanden, warum manche Geister eines Tages verschwinden und andere bleiben. Vielleicht finde ich es erst heraus, wenn ich selbst ein Geist werde. Was hoffentlich nicht passiert!«, setzte sie hinzu, während sie sich bei mir und Ella einhakte. »Ich würde es wirklich vorziehen, einfach nur tot zu sein. Und jetzt muss ich ins Bett. Dieser Fuß bringt mich um. Vielleicht lass ich ihn mir doch absägen.«

Das war es.

Ella und ich sprachen nicht ein Wort auf der Fahrt zurück, aber es fühlte sich gut an, dass sie neben mir saß.

20

Freunde

Es war zehn nach zehn, als Zelda mich bei den Popplewells absetzte.

»Bis morgen«, sagte Ella, aber ich brachte nur ein müdes Nicken zustande. Ja, ich wusste, ich hätte glücklich sein müssen, aber mein Herz wog schwerer als ein Klumpen Blei, als ich aus dem Auto stieg, und als ich zur Kathedrale hinübersah, konnte ich nur an eins denken: dass ich Longspee von nun an wohl dort nicht mehr finden würde.

Zelda hatte mir angeboten, noch mal bei ihr zu übernachten, aber ich fand, dass es Zeit war, zu Stu und Angus zurückzukehren. Also hatte Zelda die Popplewells wissen lassen, dass ich wieder mal sehr spät kommen würde.

Alma blickte ziemlich grimmig drein, als sie mir die Tür öffnete.

»Jon!«, sagte sie, während sie mich die Treppe hinaufbrachte.

»So kann es nicht weitergehen. Ich bin froh, dass du dich so eng mit den Littlejohns angefreundet hast, aber du bist immer noch ein Internatsschüler und …«

»Es wird nicht wieder vorkommen!«, unterbrach ich sie. »Wirklich nicht.«

Ich schlich mich so leise ins Zimmer, dass nicht mal ich selbst mich hörte, aber als ich die Decke unters Kinn zog, richtete sich eine Taschenlampe auf mein Gesicht, und Stu blickte über die Bettkante auf mich herab.

»Also?«, fragte er. »Wo warst du diesmal? Angus glaubt, dass Ella dir einen Liebestrank ihrer Großmutter eingeflößt hat. Aber ich hab mit ihm um den gesamten Süßigkeitsvorrat gewettet, dass was anderes hinter deinen nächtlichen Ausflügen steckt. Du hast die Wahl: Du kannst freiwillig erzählen, was los ist, oder Angus kitzelt die Wahrheit aus dir heraus. Du weißt, in so was ist er sehr gut, auch wenn er wie ein Engel singt.«

»Na ja«, sagte Angus.

Aber er musste seine Verhörkünste nicht beweisen. Ich erzählte ihnen alles. Über Stourton, Longspee und sein Herz, über den toten Choristen und Lacock. Ich hatte nicht gewusst, wie sehr ich es ihnen hatte erzählen wollen, bis ich es endlich tat.

Stu schaltete seine Taschenlampe ein und aus, ein und aus – wie ein Leuchtturm in der Nacht –, während ich erzählte, und Angus murmelte etliche Wows und Wahnsinns. Aber sie glaubten mir. Ich konnte es nicht fassen.

»Na bitte, Angus«, sagte Stu, als ich fertig war. »Von wegen Liebestrank. Dein Stoffrabe gehört mir.«

»Wie das? Du hast gewettet, dass Ellas Onkel ein Auftragskiller ist!«

»Und? Er ist ein Geisterjäger! Das ist fast dasselbe.«

»Nein, er ist ein Zahnarzt, Stu«, sagte ich.

»Ach ja, und warum hat er sich dann den Bart abrasiert?«

Stu gab nicht leicht auf, und es war ihm deutlich anzuhören, dass er seine Theorie mit dem Auftragskiller wesentlich aufregender fand als eine Bande mordender Geister. Angus dagegen war eine Weile sehr still. Doch schließlich stieg er aus dem Bett und sammelte seine Hose vom Boden auf.

»Okay, lasst uns zur Kathedrale gehen«, sagte er, während er sich den Pullover über den Kopf zog. »Vielleicht ist er ja doch noch da. Ich will ihn sehen, und wenn es das Letzte ist, was mir vor die Augen kommt!«

»Angus! Longspee ist fort!«, sagte ich.

Aber habe ich erwähnt, dass Angus sehr störrisch sein kann?

Er ließ es sich nicht ausreden, weder von mir noch von Stu, der alles andere als begeistert von der Idee war, mitten in der Nacht in die Kathedrale zu schleichen.

Als wir feststellten, dass die Tür unten abgeschlossen war, ohne dass der Schlüssel steckte (irgendwas hatte die Popplewells offenbar misstrauisch gemacht), schlug Angus vor, durch ein Fenster im ersten Stock zu klettern. Zum Glück war es nicht allzu hoch, aber als ich schon auf dem Fensterbrett saß, hatte Stu nichts Besseres zu tun, als mir zu erzählen, dass Edward Popplewell mit einer Flinte neben dem Bett schlief und vor einem halben Jahr eine Katze vom Dach geschossen hatte, die er für einen Einbrecher gehalten hatte.

Angus erklärte das für kompletten Stuie-Blödsinn, aber ich war trotzdem froh, dass das Fenster der Popplewells während unseres Abstiegs dunkel blieb.

In die Kathedrale kamen wir ohne Klettern. Ich musste Angus einen heiligen Eid schwören, dass ich nie verraten würde, wie er uns hineinbrachte, und daran werd ich mich auch hier halten. Angus war als Chorist natürlich schon oft abends in der Kathedrale gewesen, doch weder Stu noch er hatten sie je betreten, wenn sie menschenleer und unbeleuchtet war und den Toten gehörte. Die Stille zwischen ihren Mauern war so vollkommen, als atmeten die Steine sie aus. Nur das Geräusch unserer Schritte war zu hören, während Stus Taschenlampe einen schmalen Lichtpfad auf die Steinfliesen malte, und für einen Augenblick glaubte ich im Südflügel die Graue Frau zwischen den Säulen zu sehen.

»Es ist dieser hier, stimmt's?«, flüsterte Angus, als wir vor Longspees Sarkophag stehen blieben.

Ich nickte. Ich war immer noch sicher, dass William fort war. Fort mit Ella, wohin immer man ging, wenn man jahrhundertelang ein Geist gewesen war, und ich sagte mir zum tausendsten Mal, dass es gut so war – auch wenn ich ihn jetzt schon so sehr vermisste, dass mein Herz sich ganz wund davon anfühlte.

»Also, wie rufst du ihn?«, fragte Angus, während Stu so beunruhigt auf Longspees steinerne Gestalt starrte wie ein Kaninchen, das in die Mündung von Edward Popplewells Flinte blickte.

»Du rufst seinen Namen«, sagte ich, »und sagst ihm, dass du seine Hilfe brauchst.«

»Bitte!«, hörte ich mich erneut flüstern. »Bitte, William Longspee. Hilf mir!« Es schien, als wären Jahre seit jener Nacht vergangen.

Angus und Stu blickten auf Longspees steinernes Gesicht herab – und gaben keinen Laut von sich.

»Er sieht aus, als nähme er seinen Eid ziemlich Ernst«, murmelte Angus schließlich. »Vielleicht wird er wütend, wenn man ihn ruft, ohne wirklich Hilfe zu brauchen.«

»Sehr wahrscheinlich«, flüsterte Stu. »Ich denke, wir gehen besser zurück. Alma macht kurz vor Mitternacht immer noch eine Runde. Was, wenn sie sieht, dass wir weg sind?«

Sie wird mir die Schuld geben, dachte ich. Wem sonst? Whitcroft, dem nächtlichen Rumtreiber.

Angus wandte sich um und musterte die anderen Grabmäler. »Wir könnten versuchen, jemand anders zu rufen.«

»Ich glaube nicht, dass das eine gute Idee ist«, sagte ich. »Stu hat recht. Lass uns zurückgehen.«

Aber Angus beachtete mich nicht.

»Wie ist es mit dem da?«, fragte er und wies auf Sir John Cheneys Grabmal. Wie schon erwähnt – Angus ist sehr störrisch, wenn er sich etwas in den schottischen Kopf gesetzt hat. Und er hatte sich vorgenommen, in dieser Nacht einen Geist zu sehen.

»Bonapart hat uns von Cheney erzählt«, sagte Angus. »Er war der Leibwächter von Edward dem Irgendwas und Fahnenträger von Heinrich dem Siebten während der Schlacht von Bosworth.«

Stu warf mir einen alarmierten Blick zu.

»Heinrich der Siebte?«, versuchte ich, Angus abzulenken. »Hat man den nicht tot in einem Dornbusch gefunden?«

»Nein, das war Richard der Dritte«, sagte er und trat auf Cheneys Sarkophag zu. »Man nannte Cheney auch den Riesen«, murmelte er mit Ehrfurcht in der Stimme.

»Den Riesen?«, hauchte Stu. »Warum?«

»Sie haben die Knochen seines Skeletts gemessen«, antwortete Angus, »und festgestellt, dass er mindestens zwei Meter groß gewesen ist! Das war damals ziemlich groß.«

Wenn man Stus Größe hatte, war es das immer noch. »Ich finde nicht, dass das so klingt, als ob man ihn treffen müsste!«, sagte er und versuchte Angus, von dem Sarkophag fortzuziehen. »Komm. Wenn du schon unbedingt einen Geist rufen willst, lass uns jemand in unserer Größe finden! Bonapart hat doch von diesem Kinderbischof erzählt …«

Aber Angus stieß ihn zurück. »Nein!«, sagte er. »Ich will nicht nur irgendeinen Geist sehen. Es muss schon ein Ritter sein!«

Er räusperte sich und presste Cheney die Hände auf die Alabasterbrust. »Ehm. Hallo. Ich meine … bitte, Lord Cheney …«

»Er wird nur kommen, wenn du ihm ein paar Münzen auf die Stirn legst«, sagte eine Stimme hinter uns.

Angus und Stu wurden so weiß wie Cheneys Alabastergesicht, aber ich hatte die Stimme erkannt, und mir wurde schwindelig vor Glück.

Longspee stand neben seinem Sarkophag und schimmerte, als hätten alle Kerzen in der Kathedrale ihm ihr Licht geliehen. Ich hatte ihn nie zuvor so deutlich gesehen. Und er sah glücklich aus, einfach nur glücklich.

»Du möchtest, dass sie mich sehen, Jon, oder?«, fragte er, während Angus und Stu Augen und Münder so weit aufsperrten wie die Wasserspeier an der Fassade der Kathedrale.

»Ja, das ist schon in Ordnung!«, murmelte ich. Ich war so sicher gewesen, dass ich ihn nie wieder sehen würde. Mein Herz ertrank in Glückseligkeit. »Warum bist du noch hier?«

»Weil du vielleicht nicht der Letzte sein wirst, der meine Hilfe braucht«, antwortete er.

»Aber was ist mit Ella?«

»Jetzt, wo du ihr mein Herz gebracht hast, kann sie mich immer rufen.« Longspee wandte sich zu Angus und Stu um. Er lächelte, als sie unwillkürlich einen Schritt zurück machten.

»Wenn ihr euch schon vor mir fürchtet, solltet ihr Cheney wohl besser nicht rufen«, sagte er. »Er kann ziemlich rau sein.«

Stu öffnete den Mund, aber es kam ihm kein Laut über die Lippen. Angus dagegen hielt sich dafür, dass er zum ersten Mal mit einem Geist sprach, erstaunlich gut.

»Na ja, ich hab eh keine Münzen dabei«, murmelte er.

»Nun, es gibt noch einen anderen Weg, diesen Ritter zu rufen«, sagte Longspee. »Bist du sicher?«

Stu schüttelte energisch den Kopf, aber Angus nickte mit solcher Inbrunst, dass Longspee auf Cheneys Grabmal zutrat.

Wir alle wichen zurück, als er sein Schwert zog. Er stieß es Cheney tief in die Alabasterbrust, und aus dem Grabmal drang ein Fluch, der uns in der Schule mindestens ein Dutzend Strafstunden in der Bücherei eingebracht hätte.

»Verdammt seist du, Longspee! Verschlagener Hund von einem Ritter!«, hallte es durch die dunkle Kathedrale, und für einen Augenblick schien es, als setzte Cheneys Alabasterabbild sich auf. Aber es war nur sein Geist, der sich aus dem Stein löste. Er schwang die Beine von dem Marmorsockel und trat steifbeinig an Longspees Seite. Er überragte ihn um einen ganzen Kopf.

»Was ist, Königsbastard?«, knurrte er und warf das lange Haar zurück, das ebenso silbrig weiß wie der Rest von ihm war. »Ist dir nach einem Waffengang in den Kreuzgängen oder wofür sonst hast du mich geweckt?«

»Nicht heute Nacht«, antwortete William. »Ich will dir die Freunde meines Knappen vorstellen.«

Stu trat dicht an Angus' Seite, als Cheney sich zu uns umdrehte.

»Dein Knappe?«, fragte er und kratzte sich den stämmigen Hals. Selbst Geistern juckt manchmal die Haut. »Welcher ist es?«

Ich hob die Hand. »Ich. Jon Whitcroft.« Hartgill mütterlicherseits, hätte ich fast hinzugesetzt, während ich an Longspees Seite trat. Aber der Geist, dem das etwas bedeutet hätte, war fort und vergessen.

Cheney musterte mich von Kopf bis Fuß und stieß William die Faust vor die Brust. »Soll das heißen, dass du nun einen Knappen hast und ich nicht?«

»Ich könnte Euer Knappe sein!«, rief Angus und trat so hastig auf ihn zu, dass er über die eigenen Füße stolperte.

Cheney schniefte in seine bleiche Hand und warf Angus einen abschätzenden Blick zu. »Du? Du siehst mir verdächtig nach einem Schotten aus!«, stellte er abfällig fest. »Und jeder weiß, dass die viel zu aufmüpfig für einen guten Knappen sind. Andererseits –«, setzte er mit einem Blick auf Stu hinzu, »– bist du wohl immer noch besser als dein Freund. Der ist ja so dünn, dass man ihn allenfalls als Lanzenschaft benutzen könnte.«

»Sehr lustig!«, gab Stu mit beleidigter Stimme zurück. Der Ärger ließ ihn offenbar alle Angst vergessen. »Nach dem, was ich von Jon gehört habe, kann deinesgleichen nicht mal eine Feder heben, von Lanzen ganz zu schweigen!«

»Ich glaube, ich muss dir etwas Respekt einflößen, du mageres Frettchen!«, knurrte Cheney und machte drohend einen Schritt auf Stu zu, aber Longspee trat ihm in den Weg.

»Geh wieder schlafen, John!«, sagte er. »Deine Laune ist wirklich abscheulich, wenn man dich vor Mitternacht ruft.«

Zur Antwort gähnte Cheney so ausführlich, dass man die ganze Kathedrale in seinem Rachen sah.

»Seid ihr die einzigen Geister hier?«, fragte Angus, dem der Riese trotz seines Kommentars über schottische Knappen wohl immer noch gefiel.

»Nein«, antwortete Longspee. »Diese Kathedrale beherbergt viele Geister, aber die meisten zeigen sich nur ihresgleichen.«

»... und sind die meiste Zeit mit Seufzen beschäftigt«, stellte Cheney verächtlich fest. »Ich leg mich wieder schlafen. Beim nächsten Mal weckt mich hoffentlich jemand, der einen Ritter angemessen für sein Erscheinen bezahlt!«

Angus starrte Cheneys Sarg so sehnsüchtig an wie ein Hund den seines Herrn, als sein Geist wieder darin verschwand, aber ich hatte nur Augen für Longspee. Seine Gestalt verblasste ebenfalls.

»Warte!«, rief ich ihm nach. »Wie seh ich dich wieder?«

»Du bist mein Knappe, Jon Whitcroft«, antwortete er. »Du kannst mich immer rufen. Und ich dich.«

Das ist bis heute wahr. Ich habe ihn nie warten lassen, ebenso wenig wie er mich. Und das Löwenmal ist auf meiner Hand immer noch zu sehen.

Vielleicht ließ der volle Mond in dieser Nacht alle Geister der Kathedrale unruhig schlafen. In einem der Kreuzgänge begegnete uns der Steinmetzlehrling, von dem Ella erzählt hatte. Er war nicht viel älter als wir, doch er war in so viel Traurigkeit gehüllt, dass wir sie wie einen Schatten spürten und Stu verkündete, dass er für diese Nacht genug von Geistern hätte.

Wir bekamen Edward Popplewells Flinte nicht zu sehen, als wir wieder durch das Fenster im ersten Stock kletterten, und ich weiß bis heute nicht, ob Stu sie sich vielleicht doch nur ausgedacht hat. Es war schon weit nach Mitternacht, aber uns allen war nicht nach Schlafen zumute. Also spielten wir im Licht unserer Taschenlampen auf Stus Bett Karten. Ich glaube, wir wollten einfach nicht, dass diese Nacht ein Ende nahm, weil wir alle wussten, dass die Erinnerung an das, was wir gesehen hatten, mit dem Tageslicht ebenso verblassen würde wie Longspees Gestalt.

21

Kein schlechter Ort

Mam kam drei Tage später nach Salisbury. Während ich mir morgens die Zähne putzte, versuchte ich, wieder den mürrischen Gesichtsausdruck aufzusetzen, den ich so meisterhaft beherrscht hatte, aber plötzlich war es mir, als sähe ich Aleister Jindrichs ewig beleidigtes Gesicht vor mir im Spiegel.

»Ja, Jon Whitcroft, gib es zu!«, flüsterte ich meinem Spiegelbild zu, auch wenn mir das einen irritierten Blick von Stu einfing, der sich neben mir eins seiner Tattoos von der Haut schrubbte. »Dir gefällt es hier, auch wenn du fast von Dämonenhunden zerrissen und beinahe von einem Kirchturm gestoßen worden wärst.«

Natürlich hatte ich nicht vor, Mam das zu erzählen.

Sie holte mich von der Schule ab und ging mit mir in das Café am Marktplatz, wo der Kuchen so gut ist, dass Angus manchmal im Schlaf davon spricht. Sie war genauso nervös wie ich. Ich sah es daran, wie fest sie die Riemen der geschmacklosen Handtasche umklammert hielt, die der Vollbart ihr zur Verlobung geschenkt hatte. Sie war, wie versprochen, ohne ihn gekommen, aber sie ersparte es mir nicht, mich vor Angus und Stu zu küssen und zu umarmen. Zum Glück haben die zwei auch Mütter und taten wie echte Freunde, als hätten sie es nicht gesehen. Als wir auf das Schultor zugingen, entdeckte ich Ella mit zwei ihrer Freundinnen vor uns auf der Straße, aber ich traute mich nicht, ihr nachzurufen, weil ihre Freundinnen entsetzliche Klatschtanten waren. *Ella, ich will dir meine Mutter vorstellen* hätte ihnen sicher für Wochen Kicher- und Gesprächsstoff geliefert. Trotzdem starrte ich ihr nach. Das dunkle Haar fiel ihr über den Rücken, wie Ella von Salisburys Schleier es in Lacock getan hatte.

»Was ist?«, Mam legte mir die Hand auf die Schulter.

»Ach, nichts«, murmelte ich, während Ella zwischen den Bäumen am Ende der Straße verschwand. Ich hatte ihr natürlich längst erzählt, dass Longspee doch noch in der Kathedrale war. Trotzdem wäre ich gern mit ihr über die Schafswiesen zurück zu Zeldas Haus gegangen und hätte dabei einfach nur über alles und gar nichts geredet. Mit niemandem geht das besser als mit Ella.

»Nichts?«, sagte Mam. »Ich seh dir doch an, dass du über irgendetwas nachdenkst.«

Oje. Das konnte schwierig werden. Worüber sollte ich mit ihr sprechen? Schule? Lehrer? Es ist gar nicht leicht, mit jemandem zu reden, wenn man dabei alles vermeiden muss, was einem wirklich am Herzen liegt. Aber ich war immer noch sicher, dass ich Mam weder von Stourton noch Longspee erzählen wollte.

»Jon?«, begann sie erneut. Was immer heißt, dass es wirklich ernst wird. »Ich bin hergekommen, um mit dir zu reden.«

Oh nein.

»Mam!«, unterbrach ich sie hastig. »Wir müssen nicht reden. Wirklich nicht.«

Das stürzte sie die ganze High Street lang in verlegenes Schweigen, bis auf eine kurze Abschweifung über meine jüngste Schwester, die einen Vogel mit einem gebrochenen Bein nach Hause gebracht hatte.

Das Café am Marktplatz war gut besucht, also stiegen wir die Treppe hinauf in den ersten Stock, wo nur ein paar alte Damen an ihrem Tee nippten und uns neugierig musterten, als wir uns an einen der Tische am Fenster setzten. Ich biss in mein zweites Eclair, als meine Mutter sich räusperte und begann, Knoten in ihre Serviette zu machen (was bei Papierservietten wirklich eine Kunst ist).

»Jon?«, begann sie erneut. »Ich bin hier, um dir zu sagen, dass du wieder nach Hause kommen kannst.«

Ich verschluckte mich an meiner Cola. Ich weiß. Es war entsetzlich peinlich. All der Schaum, der mir aus der Nase rann und Mam, die mir panisch auf dem Rücken herumtrommelte. Als ich endlich wieder Luft bekam, erzählte sie mir stolz, dass sie sogar schon mit dem Schuldirektor gesprochen hatte. Ich hatte gewonnen! Ich hatte tatsächlich gewonnen. Aber alles, was ich denken konnte, war: keine Ella mehr, kein Angus, kein Stu. Keine Kröten in Zeldas Garten, kein Alma-Lavendelseifenduft. Keine Popplewells, kein Bischofspalast, keine Choristentrachten auf dem Schulkorridor, keine Tinkerbell-Begrüßung am Morgen (»Hallo, Jon, ist das heute nicht ein wunderbarer Tag?«). Ich war sogar sicher, dass ich Bonapart vermissen würde und den toten Aleister, von Longspee ganz zu schweigen.

»... na ja, wie auch immer«, hörte ich Mam sagen. »Es wird dich bestimmt freuen zu hören, dass ich nicht mehr so sicher bin, ob Matthew der richtige Mann für mich ist ...«

»Was?«

Ich starrte sie so entgeistert an, dass sie rot wie das Tischtuch wurde.

»Er ... er ist vor ein paar Tagen zu seiner Mutter gefahren. Ich habe sie nur einmal getroffen. Sie ist etwas absonderlich. Ich bin nicht sicher, ob ich dir erzählt habe, dass sie Kröten im Haus hat? Wie auch immer ... Matthew war sie besuchen, in irgendeiner Familienangelegenheit, und seit er zurück ist, benimmt er sich seltsam. Er hat sich den Bart abrasiert, was gut ist, denn der gefiel mir nie, aber er stellt mir die merkwürdigsten Fragen! Ob ich an Geister glaube und was ich von Rittern halte und ob ...«, sie nahm hastig einen Schluck von ihrem Kaffee, »... ob ich nach seinem Tod sein Herz in unserem Garten vergraben würde. Ich ... ich weiß, du mochtest ihn nie, und ich schätze, ich hätte dich fragen sollen, warum. Also, ja ... ich werde ihn wohl nicht heiraten.«

Ich sah, dass ihr Tränen in den Augen standen, aber von mir erwartete sie bestimmt einen Freudenausbruch. Stattdessen saß ich da, das Eclair in den zuckerverklebten Fingern, und konnte nur daran denken, wie der Vollbart sich auf dem Friedhof von Kilmington mit Zeldas Flinte in den Büschen versteckt hatte.

»Ich glaube, das ist eine dumme Idee, Mam«, hörte ich mich sagen. Ich hätte mir die Zunge abbeißen können!

Mam wischte sich mit der Serviette die Tränen aus den Augen und verschmierte dabei ihre Wimperntusche. »Willst du mich veralbern?«, fragte sie gereizt.

»Nein, wirklich!«, gab ich mit gesenkter Stimme zurück (die drei alten Damen lehnten sich schon in unsere Richtung). »Und diese Fragen, die er gestellt hat … ich … also, ich finde, das sind wirklich gute Fragen.«

Ich wusste nicht, was in mich gefahren war. Hatte Longspee für alle Zeiten meine noble Seite zum Vorschein gebracht? *Du Idiot! Du kannst den Vollbart für alle Zeiten loswerden!*, zischte mein gar nicht so nobles Selbst. *Nun greif schon zu!* Aber die noble Seite flüsterte sehr schlau zurück: *Ach ja? Heißt das, du willst auch Ella nicht mehr in deinem Leben haben? Schließlich ist er ihr verdammter Onkel!*

Meine Mutter starrte mich immer noch ungläubig an.

»Wirklich gute Fragen?«, sagte sie.

Falsches Thema, Jon! Nun mach schon, lenk sie ab.

»Mam«, sagte ich und nahm einen stärkenden Bissen von meinem Eclair, was das Sprechen nicht leichter machte. »Eigentlich … eigentlich will ich nicht nach Hause. Ich mag es hier. Also warum heiratest du nicht den Vollbart und ich komm jedes zweite Wochenende zu Besuch?«

»Oh, Jon!«, stammelte sie – und brach in Tränen aus!

Sie strömten ihr nur so aus den Augen, und eine der alten Damen kam zu uns herüber und reichte ihr ein Taschentuch (ein ziemlich abscheuliches mit rosa Spitze und gestickten Rosen). Der Blick, den sie mir dabei zuwarf, drückte deutlich aus, dass sie weder von mir noch von Kindern im Allgemeinen allzu viel hielt. Meine Mutter aber färbte die gestickten Rosen mit ihrer Wimperntusche schwarz und begann zu kichern. Die Blicke, die die drei alten Damen daraufhin austauschten, zeigten, dass sie auch von kichernden Müttern nicht allzu viel hielten.

»Mam!«, raunte ich über den Tisch. »Es ist alles gut! Ich kann auch jedes Wochenende kommen!«

»Ach, Jon!«, flüsterte sie und wischte sich noch einmal hektisch an den Augen herum. Dann lehnte sie sich über den Tisch, zog mich an sich und drückte mich so heftig, dass ich dachte, sie würde mich nie wieder loslassen. Als sie es schließlich tat, sah sie ziemlich glücklich aus. Sie lächelte sogar den drei Damen zu. Dann gab sie das geschwärzte, tränennasse Taschentuch zurück und wir stiegen die Treppe hinunter und bezahlten meine Eclairs und ihren Kaffee.

Es war ein schöner Tag, wärmer als jeder andere, den ich bislang in Salisbury erlebt hatte, und wir redeten über meine Schwestern und unseren Hund und dass der Vollbart allergisch gegen seine Haare war – und irgendwann fanden wir uns auf dem Domhof wieder.

»Komm, lass uns in die Kathedrale gehen«, sagte Mam. »Ich bin zuletzt mit deinem Vater dort gewesen.«

Die Kreuzgänge waren fast menschenleer und auch in der Kathedrale war kaum jemand. Wir gingen den Hauptgang hinunter, bis meine Mutter plötzlich stehen blieb. Vor Longspees Sarg.

»Dein Vater liebte dieses Grabmal«, sagte sie. »Er wusste alles über diesen Ritter. Ich erinnere mich nicht an seinen Namen …«

»Longspee«, sagte ich. »William Longspee.«

»Genau! Das war sein Name. Sie bringen dir eine Menge bei in dieser Schule! Dein Vater war besessen von ihm. Einmal ist er mit mir hinauf nach Old Sarum gefahren, nur um mir den Ort zu zeigen, wo Longspee gestorben ist. Weißt du, dass man sagt, dass er vergiftet wurde?«

»Ja«, sagte ich. »Und er war sehr verliebt in seine Frau.«

»Ach ja?«

»Mam?«, fragte ich zurück. »Hat Dad dir je erzählt, dass er Longspee getroffen hat?«

»Getroffen? Wie meinst du das?«

Sie sah mich verständnislos an. Also nicht. Oder er hatte ihr nicht davon erzählt. So wie ich.

»Glaubst du an Geister, Mam?«

Sie musterte Longspees Marmorgesicht und ließ den Blick an all den anderen Toten entlangwandern, die zwischen den Säulen schliefen.

»Nein«, sagte sie schließlich. »Nein, tue ich nicht. Denn, wenn es Geister gäbe, hätte dein Vater mich besucht, nachdem er gestorben ist.« Sie griff in ihre Tasche. »Oh, warum hab ich der alten Dame nur ihr abscheuliches Taschentuch zurückgegeben?«, murmelte sie mit tränenerstickter Stimme. »Ich hätte wissen müssen, dass ich es noch brauchen werde!«

Ich griff nach ihrer Hand. »Es ist gut, dass er nicht zurückgekommen ist, Mam«, sagte ich leise. »Es beweist, dass er glücklich ist, dort, wo er ist. Geister sind nicht gerade glücklich, weißt du?«

Sie blickte mich an, als sähe sie mich zum ersten Mal. »Seit wann denkst du über Geister nach, Jon? Alle reden plötzlich über Geister! Hat Matthew dir diese Gedanken etwa in den Kopf gesetzt?«

»Nein!«, antwortete ich. »Wir haben in der Schule darüber gesprochen.« Es war kein gutes Gefühl, in einer Kathedrale zu lügen, aber ich hatte wirklich nicht den Eindruck, dass meine Mutter die ganze Stourton-Longspee-Geschichte an diesem Tag verkraftet hätte. Der Vollbart und ich erzählten sie ihr erst viele Jahre später, und ich bin bis heute nicht sicher, ob sie uns geglaubt hat.

»In der Schule?«, fragte Mam ungläubig. »Sie reden mit euch über Geister? In welchem Fach?«

»Oh, ehm … Englisch«, stotterte ich. »Du weißt schon, Shakespeare und so.«

»Ah ja«, sagte sie. »Sicher.« Dann drückte sie meine Hand und strich mir durchs Haar (was ich mit elf natürlich äußerst peinlich fand). »Was hältst du davon, wenn wir uns von dem toten Ritter verabschieden und essen gehen?«

»Gute Idee«, murmelte ich – und glaubte für einen Moment, Longspee zwischen den Säulen stehen zu sehen, mit einem Lächeln auf dem Gesicht. Ein paar Wochen später fragte ich ihn, ob er vor etwa fünfunddreißig Jahren einen Jungen namens Laurence Whitcroft getroffen hatte. Aber mein Vater hat Longspee nie gerufen, vielleicht weil er auch damals schon einfach nur glücklich war.

»Was ist mit Freunden?«, fragte meine Mutter, als wir Seite an Seite über den Rasen vor der Kathedrale schlenderten. »Sind deine besten Freunde die beiden Jungen, die wir vor der Schule getroffen haben?«

»Angus und Stu?«, fragte ich. »Ja. Obwohl … nein, eigentlich nicht.«

»Was heißt das nun wieder?«, fragte Mam.

Die Abendsonne schien auf die alten Häuser ringsum, und mir fiel auf, dass wir genau dort standen, wo Stourton mich eingeholt und Bonapart mich aufgesammelt hatte.

»Mein bester Freund ist ein Mädchen«, sagte ich. »Und du kennst ihren Onkel. Du willst ihn sogar heiraten.«

Glossar

Eine **Abtei** ist eine besondere Form des Klosters. Wenn dort zum Beispiel mindestens eine gewisse Anzahl von Mönchen oder Nonnen lebt, kann das Kloster zur Abtei ernannt werden. Die Klostergemeinschaft wählt dann ihren Vorsteher, den Abt oder die Äbtissin, der direkt dem Papst unterstellt ist.

Eleonore von Aquitanien wurde um 1122 in Poitiers geboren. Sie war mit dem französischen König Ludwig VII. verheiratet. Als die Ehe nach fünfzehn Jahren aufgehoben wurde, feierte Eleonore ein weiteres Mal Hochzeit. Ihr zweiter Mann war König Heinrich II. von England. Eleonore von Aquitanien ging als Königin zweier Länder und zweifache Königsmutter in die Geschichte ein. Als eine der einflussreichsten Frauen des Mittelalters förderte sie Dichter, Musiker und Künstler. Eleonore von Aquitanien starb am 1. April 1204 im Kloster Fontevrault in Frankreich.

Bastard nannte man im Mittelalter ein Kind, dessen Eltern nicht verheiratet waren. Vor allem handelte es sich hierbei um Kinder von adligen Männern und Frauen aus den niederen Ständen. Diese Kinder behielten den Stand der Mutter. Wenn die rechtmäßige Ehefrau des Adligen keine Kinder bekommen konnte oder alle Nachkommen gestorben waren, konnten sie aber die Erbfolge antreten.

Richard Beauchamp lebte im 15. Jahrhundert in England. Er wurde 1450 Bischof von Salisbury. Er starb 1481 und wurde in der Kathedrale von Salisbury bestattet.

Napoleon Bonaparte wurde am 15. August 1769 geboren. Mit einem Staatsstreich übernahm er 1799 als Erster Konsul der Französischen Republik die Macht, bevor er sich 1804 zum Kaiser der Franzosen krönte. Napoleon führte viele Kriege. Nach seiner Niederlage im Russlandfeldzug wurde er 1814 verbannt. Er kehrte für hundert Tage an die Macht zurück und wurde schließlich in der Schlacht bei Waterloo besiegt. Seine letzten Lebensjahre verbrachte er in der Verbannung auf der Insel St. Helena, wo er am 5. Mai 1821 starb.

Hubert de Burgh wurde um 1165 geboren. Er war Graf von Kent und Premierminister von England und Irland und zählte zu den einflussreichsten Adligen Englands. Am 12. Mai 1243 ist er gestorben.

Lord John Cheney wurde um 1447 geboren. Er war Knappe, Stallmeister und Kapitän der königlichen Leibgarde unter König Eduard IV. von England. Er heiratete die Witwe des Barons William Stourton und übernahm den Titel Lord Stourton von Stourton. Nach der Krönung Richards III. schloss er sich Heinrich Tudor an und revoltierte gegen den König. Er wurde 1486 zum Ritter des Hosenbandordens ernannt. Nachdem der Streit um den Thron zugunsten Heinrich Tudors entschieden war, wurde er zum Lord Cheney von Falstone Cheney geadelt. Er saß im Parlament und war Sprecher des House of Commons. Er starb wahrscheinlich 1499. Sein Bildnis kann in der Kathedrale von Salisbury betrachtet werden.

Die Sitzreihen an den Längsseiten des Altarraums einer Kirche nennt man **Chorgestühl**. Es ist häufig reich verziert, besteht aus gestuften Sitzen, die mit einer Rückwand abgeschlossen sind, und wurde in Gottesdiensten genutzt. Einige Chorgestühle sind noch heute in Verwendung.

Als **Chorist** wird ein Sänger in einem Chor bezeichnet.

Ein **Dolmen** ist eine Grabstätte aus großen Steinblöcken.

Druiden waren eine kultische Instanz in der heidnischen Gesellschaft. Sie übten beratende Funktion aus, heilten, sahen in die Zukunft und vollzogen Bräuche und Opfer.

Hamlet ist der Prinz von Dänemark in der gleichnamigen Tragödie von William Shakespeare. Im Theaterstück erfährt Hamlet vom Geist seines Vaters, dass dieser von Hamlets Onkel Claudius getötet wurde. Um den Mörder zu überführen und den Vater zu rächen, lauert Hamlet seinem Onkel auf und tötet irrtümlich den Oberkämmerer. Dessen Sohn Laertes fordert Hamlet zum Duell. Hamlet siegt verwundet, ersticht seinen Onkel und stirbt schließlich selbst.

William Hartgill lebte in Kilmington in der Grafschaft Wiltshire in England. Seit 1543 arbeitete er als Verwalter eines Gutes, das sich in Besitz der Familie Stourton befand. Nach einem Streit mit Lord Charles Stourton, sperrte ihn dieser in den Turm von Kilmington, demütigte und bestahl ihn. Weil Hartgill das Gericht einschaltete, wurde er 1556 von Stourton und seinen Männern ermordet und verscharrt. Bei der Bluttat wurde auch sein Sohn John Hartgill getötet.

Heinrich II. wurde am 5. März 1133 in Le Mans geboren. Er war seit 1154 König von England. Weil er immer kurz geschnittene Umhänge trug, wurde er auch »Kurzmantel« genannt. Heinrich II. war der Erste, der sich »König von England« nannte, seine Vorgänger trugen den Titel »König der Engländer«. Er starb am 6. Juli 1189 in Chinon.

Heinrich VII. wurde am 28. Januar 1457 in Wales geboren. Zwischen dem Hause Tudor, dem er entstammte, und dem Hause York, dem König Richard III. angehörte, tobte damals der Rosenkrieg – ein Streit um den Anspruch auf den Königstitel. Deswegen musste Heinrich VII. in die Bretagne fliehen. Später kehrte er mit einer starken Armee nach England zurück und schlug Richard III. in der Schlacht von Bosworth Field im Jahre 1485. Heinrich VII. war von 1485 bis zu seinem Tod am 21. April 1509 König von England. Er gilt als der Begründer der Tudor-Dynastie.

Heinrich VIII. wurde als Sohn Heinrich VII. am 28. Juni 1491 in Greenwich geboren. Nach dem Tod seines Vaters im Jahr 1509 wurde er zum König von England gekrönt. Berühmt wurde er auch, weil er sechs Mal verheiratet war. Das führte zum Bruch mit der römisch-katholischen Kirche, er gründete eine eigene Kirche und setzte sich selbst als Oberhaupt ein. Heinrich VIII. starb am 28. Januar 1547 in London.

Robin Hood ist ein englischer Sagenheld. In den ältesten schriftlichen Quellen wird er als gefährlicher Räuber geschildert, der Geistliche und Adlige überfällt. Später wird er immer positiver dargestellt: als Adliger und Kämpfer für soziale Gerechtigkeit, der von den Reichen nimmt und den Armen gibt. Gemeinsam mit seinen Gefährten lebt er versteckt im Sherwood Forest und im Barnsdale Forest. Bis heute ist die Legende von Robin Hood populär. Seine Existenz als reale historische Figur ist nicht belegt.

Jakob II. wurde am 14. Oktober 1633 in London geboren und am 23. April 1685 zum König von England gekrönt. Ihm wurde vorgeworfen, dass er das Königreich zurück zum Katholizismus führen und eine absolutistische Herrschaft errichten wolle. In der Glorreichen Revolution von 1688 setzten ihn seine Gegner ab. Seine Tochter Maria II. trat gemeinsam mit ihrem Mann Wilhelm von Oranien die Thronfolge an. Am 16. September 1701 starb er in Saint-Germain-en-Laye.

Kilmington ist ein kleines Dorf im Westen der Grafschaft Wiltshire in England.

Ein **Knappe** war ein junger Mann, der bei einem Ritter den Umgang mit Waffen erlernte.

Der Begriff **Kreuzfahrer** bezeichnet jemanden, der an einem Kreuzzug teilgenommen hat. Dabei handelte es sich meist um Mönche, Ritter und Adlige. Auch große Teile der Landbevölkerung schlossen sich den Kreuzzügen an, weil der Papst dafür das Ende der Leibeigenschaft in Aussicht gestellt hatte. Sogar Verbrecher folgten den Aufrufen; vermutlich, weil sie sich der Strafverfolgung entziehen wollten oder sich reiche Beute erhofften.

Der **Kreuzgang** ist ein von Gängen umgebener Innenhof in Klöstern und Kathedralen. Er war ein wichtiger Aufenthaltsort und wurde für liturgische Aktivitäten, zum Unterricht oder als Garten und Friedhof genutzt.

Die **Kreuzzüge** fanden im Mittelalter statt. Sie waren vor allem religiös und wirtschaftlich motivierte Kriege der Christen. Im engeren Sinne versteht man darunter sieben Kriege, die zwischen 1096 und 1270 stattfanden und sich gegen Staaten muslimischen Glaubens richteten. Nach dem Ersten Kreuzzug wurde der Begriff ausgeweitet und auch die Feldzüge gegen nicht christianisierte Völker, gegen Ketzer und gegen die Ostkirchen wurden dazu gezählt.

Ein **Küster** assistiert dem Pfarrer. Er bereitet Gottesdienste vor und betreut die Sakristei: Er öffnet und schließt die Türen, zündet Kerzen an, läutet die Glocken und vieles mehr.

Lacock Abbey ist ein ehemaliges Nonnenkloster aus dem frühen 13. Jahrhundert, das im Dorf Lacock liegt. Das Kloster wurde 1229 von Ela Longspee gegründet.

Ela Longspee wurde in Amesbury geboren. Ihr Geburtsdatum ist unbekannt. Als Kind wurde Ela von ihrer Mutter nach Frankreich entführt. Dort wurde sie von einem als Troubadour verkleideten Ritter entdeckt, den Richard Löwenherz auf die Suche nach ihr geschickt hatte. Sie war Herzogin von Salisbury und heiratete um 1197/98 William Longspee. Nach dessen Tod gründete sie das Kloster Lacock Abbey und trat dort als Nonne ein. 1241 wurde sie zur Äbtissin gewählt. Ela Longspee starb 1261 und wurde in Lacock Abbey beigesetzt.

William Longspee wurde zwischen 1175 und 1180 als unehelicher Sohn des englischen Königs Heinrich II. geboren. Den Beinamen Longspee erhielt er, weil seine liebste Waffe das Langschwert (Longespée) war. Auf Veranlassung seines Halbbruders Richard Löwenherz heiratete er die Erbgräfin Ela von Salisbury und wurde dadurch zum Grafen von Salisbury. Im Jahre 1220 nahm er gemeinsam mit seiner Frau an der Grundsteinlegung für die Kathedrale von Salisbury teil. Er starb am 7. März 1226 in Salisbury und wurde als erster in der neuen Kathedrale bestattet.

Richard I. Löwenherz wurde am 8. September 1157 in Oxford geboren. Er zwang seinen Vater, König Heinrich II., 1189 zum Abdanken und folgte ihm auf den Thron. In der Literatur gilt Richard Löwenherz als der Inbegriff des weisen und guten Königs. Schon zu seinen Lebzeiten rankten sich zahlreiche Legenden um ihn, die mit der Realität nur wenig zu tun hatten. Er inszenierte sich als idealer Ritter und seine militärischen Fähigkeiten wurden maßlos übertrieben. Richard Löwenherz starb am 6. April 1199 in Châlus.

Angus MacNisse war der erste Bischof von Connor und gilt als Gründer des Klosters Kells. Sein Geburtsdatum ist unbekannt, er starb vermutlich im Jahr 514.

Magna Carta heißt übersetzt »großer Freibrief«. Es handelt sich dabei um eine Vereinbarung zwischen König Johann Ohneland und dem revoltierenden englischen Adel vom 15. Juni 1215. Die Magna Carta hält grundlegende Freiheiten des Adels gegenüber dem König fest und garantiert die Unabhängigkeit der Kirche von der Krone. Vier Handschriften der Magna Carta sind noch heute erhalten. Das beste Exemplar lagert in der Bibliothek der Kathedrale von Salisbury.

Johann Ohneland wurde am 24. Dezember 1167 in Oxford geboren. Er war der jüngste Sohn von König Heinrich II. und seit 1199 König von England. Den Beinamen Ohneland erhielt er, weil sein Vater ihm bei der Aufteilung des Erbes nur kleine Gebiete zugesprochen hatte. Johann Ohneland starb am 19. Oktober 1216 in Nottinghamshire.

Old Sarum ist die älteste Siedlung Salisburys. Wahrscheinlich wurde der Ort schon um 3000 v. Chr. bewohnt. Die Siedlung liegt auf einem Hügel nördlich des modernen Salisbury.

Wilhelm von Oranien wurde am 14. November 1650 in Den Haag geboren. Er war seit 1672 Statthalter der Niederlande. Nach der Glorreichen Revolution trat seine Frau Maria II. die Thronfolge in England an. An ihrer Seite regierte Wilhelm von Oranien seit 1689 als König von England. Er starb am 19. März 1702 in Kensington.

Rugby ist eine Ballsportart, die in England entstand. Es spielen zwei Mannschaften mit jeweils 15 Spielern und einem ovalen Ball gegeneinander. Jede Mannschaft versucht den Ball im gegnerischen Feld abzulegen. Dabei darf er nicht vorwärts geworfen, sondern nur gekickt oder getragen werden.

Salisbury ist eine Stadt in der englischen Grafschaft Wiltshire im Südosten Englands. Sie liegt am Zusammenfluss der Flüsse Avon und Wiley.

Die **Salisbury Cathedral School** befindet sich in der Kathedrale von Salisbury in England. Die Schule wurde im Jahr 1091 von Bischof Osmund in Old Sarum gegründet und 150 Jahre später in die Kathedrale von Salisbury verlegt. Seit 1947 findet der Unterricht im ehemaligen Bischofspalast auf dem Gelände der Kathedrale statt.

Ein **Sarkophag** ist ein Steinsarg. In solchen Steinsärgen wurden im Mittelalter zum Beispiel Könige, Adlige und kirchliche Würdenträger beigesetzt. Man findet sie in Kathedralen und Kirchen.

Die **Schlacht bei Bouvines** fand am 27. Juli 1214 in der Nähe des Dorfes Bouvines in Frankreich statt. In dieser Schlacht standen sich die Armee des französischen Königs Philipps II. und ein englisch-welfisches Heer unter der Führung Kaiser Ottos IV. gegenüber. Sie endete mit einem Sieg der Franzosen. Dieses Ergebnis hatte großen Einfluss auf die Entwicklung Frankreichs, Englands und des Heiligen Römischen Reiches.

Der Name **Stonehenge** stammt aus dem Altenglischen und bedeutet so viel wie »hängende Steine«. Bei Stonehenge handelt es sich um ein aus der Jungsteinzeit stammendes Bauwerk nördlich von Salisbury. Es besteht aus einer Grabenanlage, die von riesigen, kreisförmig angeordneten Steinblöcken umgeben ist. Die Steinkreise sind dabei so aufgebaut, dass alle den gleichen Mittelpunkt haben, sich aber in ihrem Radius unterscheiden. Um den Ursprung Stonehenges rankten sich von Anfang an Legenden. Beispielsweise kursierte der Mythos, dass der Zauberer Merlin die Steine mithilfe von Zaubererei aus Irland herangeschafft habe, um das Monument zu errichten.

Unter dem Namen **Stourhead** sind das Landhaus und der zugehörige Landschaftsgarten in der Nähe von Stourton in der Grafschaft Wiltshire bekannt.

Lord Charles Stourton wurde 1521 in Stourton in der Grafschaft Wiltshire in England geboren. Stourton und vier seiner Bediensteten töteten William Hartgill und dessen Sohn. Stourton wurde wegen des Mordes an William Hartgill zum Tode verurteilt und am 6. März 1556 auf dem Marktplatz von Salisbury hingerichtet. Er wurde gehängt und nicht enthauptet, wie es standesgemäß gewesen wäre. Lord Charles Stourton wurde in der Kathedrale von Salisbury bestattet.

Sussex ist eine Grafschaft in Südengland, die sich rund um die Küstenstadt Brighton erstreckt.

Herzog von Wellington ist ein erblicher britischer Adelstitel. Der Titel wurde im Jahre 1814 an Arthur Wellesley verliehen. Dieser war der bedeutendste britische Heerführer und Staatsmann der napoleonischen Zeit. Sein größter Erfolg war der Sieg über Napoleon Bonaparte in der Schlacht bei Waterloo. Später war er dann zweimal Premierminister von England.

Wiltshire ist eine Grafschaft im Südwesten Englands. In der Grafschaft befinden sich der berühmte Steinkreis von Stonehenge und die Stadt Salisbury.

Nachwort und Danksagung

Die Idee für dieses Buch entstand vor vielen, vielen Jahren, als ich meinen englischen Verleger Barry Cunningham in Frome besuchen wollte und auf dem Weg dorthin mit meiner Familie in Salisbury abstieg.

Als ich in die Kathedrale trat, wusste ich sofort, dass ich an einen dieser Orte gekommen war, die unvergesslich sind und einem unendlich viele Geschichten erzählen. Wir machten eine Führung in der Kathedrale und ich hörte zum ersten Mal von William Longspee. Die Saat war gesät!

Ich kam wieder, um mir die Kathedralschule anzuschauen, denn ich wusste, dass der Junge, der mein Held sein würde, dort aufs Internat gehen sollte. Ich sprach mit den Kindern über ihre Geistergeschichten, ließ mich von ihnen herumführen und mir ihre Lieblingsorte auf dem Schulgelände zeigen, erfuhr von der »Insel« und sah das Bild mit dem Choristen, dem ihr in der Schulkapelle begegnet seid. Die Hilfsbereitschaft war unglaublich, und ich hoffe sehr, dass die Lehrer und Schüler der Kathedralschule es mir nicht übel nehmen werden, dass ich mir für meine Geschichte ein paar Freiheiten genommen habe. Der Schulalltag läuft ganz bestimmt sehr anders ab, als ich es beschrieben habe. Ich glaube nicht, dass es Kinder gibt, die sich einfach davonstehlen, wie Jon es irgendwann tun muss, und es gibt auch keinen Bonapart, sondern nur sehr nette Lehrer.

Das Internatshaus habe ich natürlich auch besichtigt – keine Popplewells dort, sie sind meine Erfindung. Es gibt auch keine Geister unter den Fenstern. Aber falls ihr jemals nach Salisbury kommt, werdet ihr vieles von dem, was ich beschreibe, hoffentlich dort wiederfinden!

Die Dekanin der Kathedrale, June Osborne – die einzige Frau, die in Großbritannien dieses Amt in einer mittelalterlichen Kathedrale bekleidet –, war immer mit Rat und Tat zur Stelle. Ich habe sie bei der Arbeit bewundern können, als ich ein Abendgebet und einen Ostergottesdienst mit meinen Kindern besuchte.

In Kilmington und Lacock Abbey begegnete ich derselben Freundlichkeit und Hilfsbereitschaft wie in Salisbury. Ich stieg den Turm hinauf, auf dem William Hartgill sich vor Lord Stourton versteckt hatte. Ich habe den Keller gesehen, in dem die Hartgills vermutlich gefangen gehalten wurden, und bin auf Ella Longspees Spuren in Lacock Abbey gewandelt.

Noch etwas zu der anderen Ella: Als mein britischer Verleger das Buch zum ersten Mal gelesen hatte, rief er mich an und fragte, wie ich denn auf diese wunderbare Mädchenfigur gekommen sei. »Ich habe sie gestohlen«, habe ich geantwortet. Denn Ella Littlejohn ist eigentlich Ella Wigram, die älteste Tochter von Lionel Wigram, mit dem ich seit Jahren gemeinsam an meiner Romantrilogie Reckless arbeite. Als ich in meinen Recherchen für das Buch herausfand, dass mein Held William Longspee mit der sehr berühmten Ela von Salisbury verheiratet war, dachte ich mir: »Warte, Cornelia! Warum lässt du nicht ein Mädchen namens Ella vorkommen, das den Ritter an seine Frau erinnert?« Dass Lionels Tochter diesen Vornamen trägt, passte da natürlich ausgezeichnet, und ich hätte mir keine bessere Muse für diese Figur wünschen können. Ella hat mehrere Fassungen der Geschichte gelesen, und natürlich habe ich mir ihre Erlaubnis eingeholt, bevor ich sie in ein Buch gesteckt habe.

Es gibt noch ein anderes reales Vorbild für eine Figur in dieser Geschichte: Wellington, der Hund, der für Ablenkung in Stonehenge sorgt, ist der treue Hundegefährte meiner Freundin Elinor Bagenal, und auch er wurde natürlich um Erlaubnis gefragt, bevor ich ihn zu einer Buchfigur machte.

Zu guter Letzt – Geisterführungen in Salisbury gibt es wirklich! Wie sonst wäre ich auf die Idee gekommen, dass Ellas Großmutter so etwas macht?

Mein allerherzlichstes Dankeschön geht zuallererst an Friedrich Hechelmann, der diese Geschichte mit Bildern ausgestattet hat, wie man sie sich als Geschichtenerzähler erträumt, aber eigentlich nie bekommt. Ich danke auch dem Dressler Verlag vielmals dafür, dass er eine solche Ausstattung möglich gemacht hat.

Dieses Buch hätte nicht entstehen können ohne die unglaubliche Hilfsbereitschaft, die mir in England begegnet ist. Ich bedanke mich allerherzlichst bei all den Menschen in Salisbury, Kilmington und Lacock, die mir bei dieser Geschichte geholfen haben. Ganz besonders nennen möchte ich Peter Smith, Tim Tatten Brown und June Osborne, der Dekanin der Kathedrale. Außerdem danke ich Elinor Bagenal für all die Recherchearbeit, die sie für mich geleistet hat, und dafür, dass sie mir Wellington vorgestellt hat. Ich bedanke mich noch mal bei der echten Ella dafür, dass sie so ein wunderbares Vorbild war – und was Jon betrifft … meine amerikanische Lektorin sagt, dass er sie sehr an eine junge Version meines wunderbaren britischen Literaturagenten Andrew Nurnberg erinnert. Das war keine Absicht, aber wenn ich darüber nachdenke … ja, gewisse Ähnlichkeiten sind nicht zu übersehen, Andrew!

Mit herzlichen Grüßen aus Los Angeles
Cornelia Funke

CORNELIA FUNKE ist die international erfolgreichste und bekannteste deutsche Kinderbuchautorin. Heute lebt sie in Los Angeles, Kalifornien, doch ihre Karriere als Autorin und Illustratorin begann in Hamburg. Nach einer Ausbildung zur Diplom-Pädagogin und einem anschließenden Grafik-Studium arbeitete sie als freischaffende Kinderbuchillustratorin. Da ihr die Geschichten, die sie bebilderte, nicht immer gefielen, fing sie selbst an zu schreiben.

Zu ihren großen Erfolgen zählen *Drachenreiter*, die Reihe *Die Wilden Hühner* und *Herr der Diebe*, mit dem sich Cornelia Funke international durchsetzte. Ihre *Tintenwelt*-Trilogie stand weltweit auf den Bestsellerlisten. Im Herbst 2010 erschien *Reckless – Steinernes Fleisch*, der Auftakt zu einer neuen Bestseller-Serie. Mit *Geisterritter* bietet Cornelia Funke auch jüngeren Lesern ab 10 wieder spannendes Lesefutter. Über 50 Bücher hat Cornelia Funke mittlerweile geschrieben, die in mehr als 40 Sprachen erschienen sind. Zahlreiche Titel wie z. B. *Hände weg von Mississippi*, *Herr der Diebe* und *Tintenherz* wurden verfilmt. Auch in Preisen und zahlreichen Auszeichnungen spiegeln sich ihre Beliebtheit und ihr Einfluss wider.

Mehr Infos über die Autorin unter www.corneliafunkefans.com

FRIEDRICH HECHELMANN wurde 1948 geboren. Er studierte an der Akademie der Bildenden Künste in Wien und lebt seit 1973 als Maler, Illustrator und Filmemacher in Isny im Allgäu. Bereits 1972 illustrierte Friedrich Hechelmann sein erstes Märchenbuch *Zwerg Nase*. Dem folgten zahlreiche Buchillustrationen, Filmproduktionen, Ausstellungen, Bühnenbilder und Bühnenausstattungen sowie Publikationen im In- und Ausland. *Geisterritter* ist das erste Buch von Cornelia Funke, das Friedrich Hechelmann illustriert.